MARK ROBERTS

Rytojus priklauso man

BEVEIK SUAUGĘ

MARK ROBERTS

Iš anglų kalbos vertė *Vilmantas Vilkončius*

Alma littera

UDK 820-93
Ro-04

Versta iš: Mark Roberts
TOMORROW BELONGS TO ME
Andersen Press, London, 2004

Serijos ir viršelio dailininkė
Eglė Gelažiūtė-Petrauskienė

ISBN 9955–08–829–X

Norėčiau padėkoti:

Conradui Williamsui už jo didį humorą ir nepaliaujamą solidarumą.

Policijos konstebliui Peteriui Garrettui ir Merseyside'o policijai, daugiausia ir padėjusiems parašyti šią knygą.

Žmonai Lindai, be kurios nelabai kas būtų buvę įmanoma.

Skiriu Krisui, Džekui, Betei, Vilui ir Elinorai

Turinys

1

Lengvai gautas lengvai ir išeina

Sekundę ar dvi aš vaizdavausi sėdįs poliekraninio kino prie namų pirmoje eilėje, žiūrįs į plačiame ekrane pasirodžiusį save ir matąs košmaro kaustomą veidą. Aš Mažasis ir Aš Didysis. Mažasis susmukęs kėdėje, Didysis išsiplėtęs per ekraną. Aš Mažasis smunku su kiekviena akimirka vis labiau, vis greičiau į kėdę, o Man Didžiajam veidas išblykšta. O paskui, kaip ir privalo būti, ta akimirka baigėsi ir vaizduotę išstūmė visiška tikrovė.

Ta visiška tikrovė buvo štai kokia. Jau praėjusios keturios valandos, kai aš išėjęs iš savo motinos namų. Įlipau į Nacionalinio Ekspreso autobusą, vykstantį į Londoną (bilietas iš Liverpulio į vieną galą – 12 svarų ir 50 pensų). Esu pasiėmęs „Nikės" sportinį krepšį, su kiek tilpo drabužių, ir santaupų knygelę (250 svarų ir 73 pensai). Kai jau gerokai buvau nuvažiavęs Londono link ar bent šitaip atrodė, vairuotojas per garsiakalbį pranešė, kad perkaitęs radiatorius ir kad reikia stoti artimiausioje degalinėje patvarkyti.

Aš pasileidau į vyrų tualetą, atlapojau paskutinės kabinos duris ir numečiau „Nikę“ čia pat priešais, ant plytelėmis išklotų grindų, baisiai skubėdamas.

Per širdį smilktelėjo kažkokia negera nuojauta, aiškių aiškiausias jausmas, kad bus kažkas labai blogai. Darėsi kažkas nepaprastai negero, tik mano smegenys atsisakė įsijungti. Aš pažvelgiau sau už nugaros, per petį, ir ant uždarų kabinos durų išvydau kratinį rasinės neapykantos užrašų bei futbolo komandų palaikymo šūkių. O krepšys? Už durų. Atidariau kita ranka ir pamačiau, kad mano krepšys, į kurį buvau sukimšęs visą savo turtą, išnykęs.

Vos prieš kelias akimirkas čia buvo dvylika tylių figūrų, o dabar trys.

– Ar kas matė, kas dabar iš čia išėjo su „Nikės“ krepšiu?

Visi į mane spoksojo ir nieko neatsakė, tarsi aš būčiau jiems prikrovęs į batus. Mano žodžiai nuaidėjo sienomis tarsi rėžiantis ausį garsas iš fantastinio filmo. Kaip tik tada, tą akimirką, aš ir išvydau save kino prie namų ekrane. Mažąjį Aš ir Didįjį Aš. Akimirka, ir štai aš – kažkur pasaulio krašte, autostrados degalinės viešajame tualete, netekęs visko, ką turėjau, vien tik su drabužiais, kuriais vilkiu, ir kišenių turiniu.

Mačiau save grafiškame plataus formato ekrane sutrikusį ir išnykstantį, giliai grimztantį į mėšlą.

Nežinau, kaip aš atsidūriau degalinės restorane, netgi kodėl ten. Tiesiog žengiau kaip ne šios planetos gyventojas žingsnį po žingsnio, širdžiai besidaužant – „praradau, praradau, praradau“...

„Lìvaiz“ džinsų kišenėje radau saują smulkių, iš viso tik kiek daugiau nei pusantro svaro. Užtenka puodeliui arbatos, progai atsisėsti ir galimybei bent jau pabandyti aiškiai pamąstyti.

Eiti pro valgius buvo tikra kančia, akyse šmėžavo sumuštiniai su krevečių majonezu ir citrininiai merenginiai pyragaičiai, kepti viščiukai, skrudintos bulvytės ir... Paskui net užsimerkiau, kai priešais mane eilėje moteriškė pasiėmė gabalėlį šokoladinių karamelinių ledų deserto ir pasidėjo ant padėklo prie kiaušinienės su kumpiu.

Kodėl išeidamas iš namų nepavalgiau? Kodėl? Taip klausiau savęs. Tiesiog tada visai nebuvau alkanas. Paskui visą laiką pilvas urzgė. Kaipgi aš? Kaipgi aš?

Atsisėdau prie stalo, kur pro langą matėsi automobilių aikštelė ir autostrada, ir susiskaičiavau man likusius pinigus, grąžą, sumokėjus už arbatą. Iš viso 43 pensai. „Kaipgi, – klausiau savęs siurbčiodamas arbatą, – ketinu suktis?“ O paskui, vieninteliam Nacionalinio Ekspreso autobusui išvažiuojant iš aikštelės, savęs paklausiau: „Kaipgi aš nusigausiu į Londoną?“ Vairuotojas, tikriausiai susitvarkęs radiatorių, mane paliko. Giliai gerklėje pajutau didžiausią kartumą, tarsi mane būtų pykinę, o kai paskui praėjo, tai autobusas autostradoje jau buvo susiliejęs su sparčia eismo tėkme.

* * *

Per mudviejų su mama priešpaskutinį vaidą (keturi iš dešimties būdavo didžiuliai visiški nesusipratimai, be rėkimo ir lėkščių daužymo, bet su abipuse neapykanta) ji bedė į mane pirštu ir ėmė nepaliaudama kartoti dainingu balsu, kokio griebdavosi, kai būdavo galutinai užsiutusi, bet dar kiek valdydavosi:

– Lengvai gautas lengvai ir išeina! Lengvai gautas lengvai ir išeina!

Čia buvo tiesa, aš amžinai vis ką nors pamesdavau – tai parkerį, tai vadovėlį, kompaktų dėklą, o dabar štai net visut visą turėtą savo turtą.

– Tik nepamesk tu to savo šlykštaus švarkpalaikio!

Šiaip jau, žinoma, ji buvo teisi. Bet aš savo rudą zomšinį švarką labai saugau. Jis mano pasididžiavimas ir mano džiaugsmas, aš dėl jo šešis mėnesius plušėjau prasčiausiam Liverpulio laikraščiui, kai mama griežtai atsisakė pirkti.

– Jei nori, tai užsidirbk!

Džiaugiausi dabar čia stovėdamas su savo geriausiais drabužiais. Po zomšiniu švarku vilkėjau juodą „Benetono" marškutę, o tarp jos ir „Adidas" krepšinio batų mūvėjau mėlynus „Livai 501" džinsus, kuriuos mano nesirodantis tėvas malonėjo atsiųsti Kalėdoms iš savo meilės lizdelio Prancūzijoje. Ir tada pagalvojau: „Kaip, manim dėtas, pasielgtų tėtis?" Ausyse tarsi pasigirdo mamos balsas, šnabždesys pro sukąstus dantis: „Elkis taip, kaip jis visada pasielgia, kai tik pasidaro sunku, – pabėk! Koks tėvas, toks ir sūnus!"

Užsidengiau veidą rankomis, nebesuvokdamas, ar čia tik apskritai nėra košmaras, kai pašoksti vidunaktį iš miegų, šalto prakaito išpiltas. Bet išgirdau kažką manęs klausiant:

– Ar viskas gerai?

Pakėliau akis į balso pusę ir nustėrau supratęs, kad sklinda balsas ne iš toliau kaip iš kitapus stalo. Aš nė nepagalvojau, jog kas nors galėtų būti prisiartinęs, ką jau kalbėti apie tai, kad sėdėtų priešais mane prie stalo, ranka pasiekiamas.

Tas balsas, taip arti, atrodė tarsi išdygęs iš po žemių. Tas, kuris į mane kreipėsi, sėdėjo įsirėmęs alkūnėmis į stalą, smakrą pasidėjęs ant plaštakų sunertais pirštais.

– Buvai kažkur toli, – pasakė nenusukdamas šviesiai mėlynų akių.

Susivokiau žiūrįs jam į akis, melsvas kaip jūra vaikiškoje knygoje, su juodomis kaip angliukais lėliukėmis, tarsi susuktomis ir užšaldytomis skruzdėmis. O jo plaukai buvo netgi dar tamsesni, tarpais, kur krisdavo šviesa, truputį mėlyni.

Jis man pasirodė lyg matytas, iš filmo, o gal iš roko grupės, o gal iš žurnalo viršelio. Buvo tokios malonios išvaizdos ir toks pasitikintis savimi, kad, rodėsi, jam tuoj ims lenktis pasaulis, arba, kitaip tariant, buvo tokios malonios išvaizdos ir toks pasitikintis savimi, kad galėjo nepaisyti nei manęs, nei daugelio vidutiniškos išvaizdos penkiolikmečių vyrukų.

Jam labai nežymiai palinkus į mane, tyliai sugurgždėjo ir aiškiai pakvipo naujutėlaitė odinė striukė. Vis tylėjau, o paskui susigriebiau išknisti iš savo smegenų sąvartyno bent kokią mintį, pasakyti ką nors šaltakraujiškai ar protingai, kad padaryčiau įspūdį. Galiausiai išknisęs, atsikosėjau ir tėškiau pribloškiamą klausimą.

– Ar aš tavęs nepažįstu... a?

Jis papurtė galvą, nusišypsojo ir paaiškino gestikuliuodamas nebesunertomis rankomis:

– Tiesiog keliavau pro šalį ir pamačiau tave tarsi ko susirūpinusį, na, tiesą sakant, išvydau verkšlenantį ir pagalvojau, ar kas nenutiko?

Aš čiupt pirštais veidą, drėgną nuo ašarų. Nė nesuvokiau, kad verkiu ir ašaros ritasi skruostais. Nusibraukiau veidą atgaliomis plaštakomis. Jis man atkišo baltutėlę lininę nosinę. Pagriebiau. Spūstelėjo mano ranką šypsodamasis, tarsi sakydamas: „Nėra ko jaudintis!"

– Atsiprašau, – ištariau trindamasis akis, – žliumbiu kaip kūdikis.

Jis pakraipė galvą į šalis ir atsilošė.

– Žinai, kaip vadina žmogų, kuris neverkia?

– Nežinau.

– Melagiu. O kaip vadina jo draugą, kuris irgi neverkia?

Papurčiau galvą.

– Lavonu.

Jis juokėsi nuoširdžiai, užkrečiamai, ir aš pratrūkau kikenti su juo, nors juokelių ir nemėgstu. Šitas vyrukas aiškiai mėgavosi savo paties šmaikštumu.

– Klausyk, – atsitiesė jis. – Jei rimtai, ar viskas gerai?

– Gerai, – atsakiau nemąstęs, bet tuoj pasitaisiau: – Ne, negerai!

Jis ištiesė ranką, suėmė maniškę ir smarkiai pakratė.

– Aš Lukas. Lukas Frijersas.

– Danas Andersonas, – prisistačiau ir aš mandagiai ir atitraukiau ranką.

– Kas nutiko, Danieliau?

„Danieliau"? Niekas dar manęs taip nevadino.

– Ką tik pabėgau iš namų!

– Pabėgai?

– Taigi, pabėgau, ir man nušvilpė krepšį, ir autobusas išvažiavo be manęs, ir aš likau su keturiasdešimt trim pensais ir šitais drabužiais...

– Pradžia daug vilčių neteikianti. Taigi, – pripažino ir pasisukęs pažvelgė į tą rojaus alėją, kur išdėlioti patiekalai. – Ar pavalgei?

Neatsakiau.

– Niekur neik! – paliepė ir nužingsniavęs paėmė padėklą.

Per daug buvau alkanas ir per daug apimtas smalsumo, bent krustelėčiau per tas keletą minučių, kol sugrįžo nešinas karšta arbata ir šokoladinių karamelinių ledų desertu, su dviguba porcija nurudavusių skrudintų bulvyčių ir su storai sūriu ir svogūnais pagardinta pica. Nė žodžių nerastum padėkai.

– Nagi, čiupk, – paragino.

– Ačiū.

Nebuvau aš nei koks netašytas, nei besotis, bet sukirtau savo valgį ir dar pusę jo, nes esmė buvo ta, kad nežinojau nei kur, nei kada ir ar apskritai dar gausiu valgyti.

Baigęs kimšti į savo srėbtuvus šokoladinių karamelinių ledų desertą, vėl pamačiau jo rankas. Tarp ilgų smailėjančių pirštų jisai suko sidabru žėrinčius raktus. Šypsojosi taip, lyg seniausiai mane pažinotų.

– Ar jautiesi truputėlį geriau?

Linktelėjau pilna burna, irgi nusišypsojau, nurijau ir atsakiau:

– Taip... Ačiū, daug geriau, labai labai ačiū...

Jis, nebeprataręs nė žodžio, atsistojo, pasisuko ir nužingsniavo sau.

2

Šaunumėlis didžiajame pasaulyje

Nusekiau iš paskos. Nusekiau paskui Luką nekviečiamas, buvo netgi nesvarbu, kur jis keliauja. Dabar, mums besibraunant pro volvo ir fordus, fiatus ir saabus, perspektyva buvo tokia: jis keliaus sau, aš sau, vadinasi, vėl liksiu skęsti vienas, vos kyšančia paviršiuje galva, laukdamas dar vieno smūgio šitoje sumaištyje, ir nuskęsiu.

Taip pasiutiškai parūpus prašyti pagalbos, žodžiai strigte įstrigo gerklėje. Smarkiai mirksėjau įsistebeilijęs į raktus, kuriais jis nerūpestingai džerškino ryškiuose saulės spinduliuose. Tie raktai mane užbūrė, traukė kaip katinui tąsomas žaisliukas, ir visame plačiame pasaulyje su dangaus aukštybe tą akimirką tikrai daugiau niekas man nerūpėjo.

– Va mano kledaras! Šitas! – parodė man.

Ir aš iš karto, lyg pliaukštelėtas per nugarą, nusikračiau raktų hipnozės. Giliai įkvėpiau ir paklausiau:

– Ar sakei „šitas" ar „džipas"?

Negalėjau atsižavėti spindinčiu juodu kėbulu ir didžiulių ratų linkiais, akį traukė ištaigingos sėdynės, didžiulė erdvė ir prabanga. Čia buvo naujutėlaitis reindžroveris. *Vienas* iš nedaugelio dalykų, dėl kurių sutikau su motina, buvo tas, kad nėra mandagu klausti svetimų žmonių apie jų pinigus, todėl išsigandau nesusilaikęs:

– Iš kur tu gavai šitam tiek pinigų?

Jis nusijuokė ir atsakė:

– Susilaukiau tam tikros kompensacijos.

Kadangi jau vieną drąsų žingsnį žengiau, tai iškošiau pro dantis ir kitą klausimą:

– Kompensacijos?! O už ką? – vis baimingiau žvelgiau į jį, įsitaisantį vairuotojo sėdynėje.

Jis man parodė į keleivio duris, labai nerūpestingai, ir ištarė stebuklingus žodžius:

– Čia centrinis užraktas, Danieliau!

Akimirksniu pasaulis liovėsi drebėjęs man po kojomis ir dangus liovėsi slėgęs smegeninę.

– Ačiū, – išpyškinau.

Jis įspraudė į grotuvą diską, ir iš garsiakalbių sudundėjo kaulus traiškantys metalo ritmai.

Įlipęs pastebėjau ant užpakalinės sėdynės, už manęs, padėtą nešiojamąją filmavimo kamerą ir dėžę vaizdajuosčių. Jis užklupo mane šnipinėjant ir ėmė aiškinti:

– Suku filmą, dokumentinį, apie viską, kas tik patraukia mano akį.

– Kaip kokį vaizdų dienoraštį?

Įjungė variklį. Aš ir pats pasvajodavau kurti tokius dienoraščius.

Ta kamera atrodė brangi, taip pat ir lagaminai bagažo skyriuje užpakalyje. Viskas, ką tik galėjau pamatyti ir paliesti, kvepėjo naujumu, taigi taip ir tikėjausi, kad Lukas gauna baisioniškus gabalus iš kažkokios didžiulės kompensacijos.

Autostradoje įplaukėme į vidurinę juostą. Sėdėjome aukštai, tarp čia pat po mumis važiuojančių lengvųjų automobilių, žvelgėme iš viršaus į juose sėdinčius žmonelius ir visus lenkėme.

„Čia juk tik sapnai, čia juk ne sapnai..." Iš nežinia kur atsiradę žodžiai sukosi ratu apie galvą... „Ne sapnai, tik sapnai..." Ir aidėjo smegenų vingiuose. Ir nutilo.

Jis patildė muziką ir kreipėsi į mane:

– Danieliau! Leisk, atspėsiu. Tu važiavai į Londoną, taip?

– Tiesa, – atsakiau. – Kaip atspėjai?

Pastebėjau, kad visi kelio ženklai, kuriuose minimas Londonas, rodo į kitą pusę, nei mes važiuojame. Mums priešakyje bene didžiausias miestas buvo Oksfordas.

– Iš kur žinai, kad važiavau į Londoną?

– O, sakysime, kad spėjimą pagrindėme faktais! – plačiai nusišiepė. – Ten važiuoja visi, Danieliau, kai pasprunka iš namų. Ten visi ir keliauja užsikalti pinigėlio arba galo gauti!

Jis dar labiau patildė muziką, kol mums teliko neaiškus muzikinis fonas, ir ėmė sukti džipą į kairiąją juostą tolygiai stabdydamas.

– Kaip tai *galo?*

– Ten benamiui bankrotui nėra saugu.

– Taip, bet...

Jo šypsenos neliko nė ženklo.

– *Taip, bet* kas?

– Taip, į Londoną, kaip tik tenai aš ir važiavau. Didelis miestas, susirasiu darbo ir nebebus vaidų. Aš tebūsiu tik vienas veidas minioje.

Sustojome užsikimšusio eismo uodegoje. Iš už tankių debesų virtinės staiga vėl pasirodė saulė, ryški, šalta ir akinama.

– Ką tu darytum, jeigu pabudęs, Danieliau, pamatytum keletą apstojusių tave šunkarų ir tau pagrasintų peiliu? Ką darytum?

„Imčiau žviegti ir melsčiau pasigailėjimo", – instinktyviai pagalvojau, bet kažkaip nelabai būtų tikęs toks atsakymas.

– Jeigu man kas nors pagrasintų peiliu? – greitai perklausiau, sukdamas galvą, žemei drebant po kojomis.

– Jeigu tau kas pagrasintų peiliu! – pakartojo. – Na, tai ką tu darytum?

Jis mokėjo užduoti kuo sunkiausią klausimą kuo maloniausiu balsu. Išjungė grotuvą. Tarp mūsų įsiviešpatavo tyla.

– Mano greitos kojos, kaip nors pasprukčiau! – bandžiau nutaisyti kuo tvirtesnį balsą, bet išėjo silpnutis menkutis, tai bandžiau dar: – Arba kaučiausi!

– Gerai, – sušnabždėjo ir pažvelgė man tiesiai į akis. – Bet jeigu jų keturi? Kaipgi tu kausiesi su keturiais ginkluotais puskvaišiais?!

– O kodėl? Kodėl man turi grasinti peiliu? Kodėl turėtų man grasinti peiliu?

Jis iš marškinių kišenės išsitraukė tamsius akinius ir staiga man nugarkauliu perbėgo šiurpas. Metaliniai akinių rėmeliai ryškiuose saulės spinduliuose staiga sublizgo kaip iššovusi spyruoklinio peilio geležtė. Nors čia tebuvo tik akiniai, ir tiek, ne peilis, ne kokia grėsmė. Staiga mane lyg žaibas persmelkė, akimirksnį atrodė, kad mano bendrakeleivis ketina mane kiaurai perskrosti, nors tiesiog išsitraukė akinius. Užsidėjo ir iš karto ėmė atrodyti toks šaltas, kad, sakytum, žengtų per degančios naftos lauką ir nė nesuprakaituotų.

– Kodėl turėtų tau grasinti peiliu? – perklausė ir, įjungęs pirmą pavarą, lėtai pavažiavo kelis metrus. – Nes pasipainiosi, Danieliau, – paaiškino. – Štai kodėl!

Jo tonas buvo kaip galingo globėjo. Ir nežinau, kodėl tą akimirką man tokio ir prireikė.

– Nes pasipainiosi ir *jie turės galimybę!*

Mums ėmus važiuoti, jis paaiškino man, remdamasis statistika, kad užpultieji ir nužudytieji daugiausia yra benamiai, o iš benamių daugiausia užpuolami ir nužudomi tokie jaunikaičiai kaip aš.

– Betgi tu visa tai žinai, Danieliau. Juk televiziją žiūri!

– Atrodo, nelabai ką daugiau ir veikiu.

– Taigi tik varginu tave faktais, kuriuos tu jau žinai.

– Žinau aš puikiai tuos faktus, girdėjau šimtus kartų, bet... bet man taip neatsitiks!

– Danieliau, ar tu pats tiki tuo, ką sakai?

Prieš penkias ar šešias valandas būčiau sau tvirtinęs, kad džiunglių įstatymai manęs nepalies. Per kelias valandas iš Dano Nemirtingojo beliko Danas be svaro, be krepšio ir be namų.

– Peilį aš ir pats turiu, – pasakiau jam, o pagalvojęs pridūriau: – Ar bent turėjau.

Jis pasižiūrėjo susidomėjęs, bet nieko nepasakė.

– Išeidamas iš namų pasiėmiau iš virtuvės stalčiaus. Na, dėl visa ko.

Jis ir vėl nieko nepasakė.

– Įkišau jį į krepšio dugną, tai tikriausiai jis dabar kur nors gal net Kalifornijoje... su visais mano daiktais.

– Peilis?

– Ten tik senas virtuvinis, su banguota aštruma. Kaip sakiau, dėl visa ko. Skirtas pjaustyti vaisiams ir daržovėms, ne žmonėms!

– Betgi juk peilį nešiojasi tik tas, kuris pasirengęs juo pasinaudoti!

– Kam taip iš karto... – atsakiau ir ėmiau gailėtis paminėjęs tą peilį. – Ten buvo virtuvinis, su juodu plastikiniu kotu, „IKEA".

Pajutau baisų liūdesį ir gėdą, be to, supratau, kad niūrių jausmų mišrainė juodu šešėliu gula man ant veido.

– O, liaukis, nenukabink nosies! – nusijuokė. – Išaušo tavo laimės diena, Danieliau. Šiandien tu susitikai mane! Ir šiandien laiminga diena ir man. Likimas mane suvedė su tavim. Juk negaliu pats vienu metu ir vairuoti, ir filmuoti.

Važiavome nebestodami, priešais atsivėrė užtektinai laisvo kelio.

– Vis tiek nori į Londoną? – pasiteiravo. – O gal norėtum porą dienų pavažinėti su manim?

– Kur mes važiuojam, Lukai?

– Sekam paskui va šitą!

O *šitas* iš vidurio juostos nusuko į kairę, su besiplaikstančiais vėjyje kaspinais ir vėliavėlėmis, kyšančiomis pro langus ir stogą.

Toliau nei už puskilometrio nuo mūsų vienaaukštis iškleręs autobusas, nuo kapoto iki bagažinės pasidengęs rūdimis, nors ir pakankamai uždažytomis tiesiog nenusakomom spalvom, kiek pariedėjęs asfaltuotu kelkraščiu, nusuko į šalutinį kelią. Mes irgi pasukome į asfaltuotą kelkraštį paskui apdaužytąjį autobusą. Jis ropštėsi įkalnėn, ir atrodė tarsi stebuklas, kad dar gali judėti.

– Paimk nuo užpakalinės sėdynės filmavimo kamerą. Ar esi kada filmavęs? – paklausė.

Filmavau, tik ne su šitokia brangia. Keturias linksmas valandas aš su kamera-magnetofonu per vestuves filmavau girtus savo giminės juokdarius, jų sunkiai suprantamus ginčus, pareiškimus apie amžiną meilę, filmavau Fioną, nuotaką, isteriškai verkiančią, kai šokių aikštelėje jaunikis susimušė su vyriausiuoju pajauniu (dėl Fionos). Ten tai jau buvo linksmybių viršūnė.

– Filmuok, užsidegė raudona. Laikyk objektyve autobusą, Danieliau!

– Žinai, Lukai, aš galiu pavairuoti.

Jis mano pasiūlymo nepriėmė, tai toliau stengiausi padaryti jam įspūdį:

– Taip, tėtis mane išmokė. Tėtis sakė, kad aš vairuotojas iš prigimties.

– Kur tu mokeisi?

– Velse prie jūros.

– Velse prie jūros yra truputėlį kas kita negu judrioje autostradoje.

– Esu vairavęs ir keliu.

– Ar turi teises? – pasiteiravo Lukas.

– Aš per mažas laikyti egzaminą.

– Taigi būsiu dėkingas, jei darbuosiesi su kamera, o vairuoti paliksi man.

Jis pristabdė ir ėmėm važiuoti siauru lauko keliuku. Aš priglaudžiau akį prie kameros ir nukreipiau objektyvą į autobuso galą.

– Ar tu pažįsti, kas ten autobuse?

– Asmeniškai tai ne. Ten keliautojai. „Naujojo amžiaus" judėjimo grupė.

Mačiau tuos keliautojus per televiziją, daugybę kartų, įsivėlusius į mirtiną susirėmimą su policija, kai ši jų neleido važiuoti kažkur prie Stonhendžo ar į kurią kitą senovinę apeigavietę.

– Ko mes paskui juos sekam, Lukai?

Tie keliautojai siejosi su policija, o jos man tikrai nereikėjo.

– Pasikliauk manim! – vos ne pašnibždom ištarė taip, kad aš ir pasiklioviau. – Nesijaudink nei dėl tų keliautojų, nei dėl policijos, nei dėl nieko! Čia bus tik šaunumėlis didžiajame pasaulyje, Danieliau!

Aš juo tikėjau. Pats sau nusišypsojau. Pažvelgiau į vėžlinantį autobusą pro kameros objektyvą.

– Ei! Ei! Lukai, pažiūrėk į užpakalinį autobuso langą!

Išdidinau vaizdą. Pro blausų nuo dulkių stiklą į mus žvelgė vaikas, šviesiaplaukis berniukas išpūstomis iš smalsumo žydromis akimis, tokiomis, kad nuo jų tarsi traukėsi stiklą dengiančios dulkės, o veidukas man priminė angeliuką iš viduramžių paveikslo. Jis iškėlė rankytę ir pamojavo. Aš irgi, savo laisva ranka. Jis nusišypsojo ir prisispaudė veidu prie stiklo, kad geriau mus įžiūrėtų. O paskui prie jo pasirodė moteris. Kelias akimirkas ji žiūrėjo į mus, ir veide atsirado raukšlių. Ji dėl mūsų aiškiai sunerimo, čiupo vaiką ir pasitraukė nuo lango.

– Pamanė, kad mes pareigūnai! – paaiškino Lukas. – Pamanė, kad mes priešai!

Paskui atkreipiau dėmesį, kad mūsų važiuojamas keliukas labai siauras, o gyvatvorės abipus keliuko labai plačios, labai aukštos ir paslaptingos. Mums už nugarų tebuvo tuščia keliuko atkarpa, o priešaky autobusas, pilnas žmonių, kurie manė, kad mes priešai. Autobusas staiga pasuko į kelkraščio pylimą ir visiškai užstojo kelią. Mes atsidūrėm tarsi akligatvyje.

Lukas sustabdė reindžroverį, bet variklio neišjungė.

– Lukai, greičiau, apsisuk trim veiksmais ir grįžtam!

– Nusiramink ir filmuok!

Iš autobuso išlipo vyriškis ir paėjėjo mūsų link, žengė į keliuko vidurį, tiesiai priešais reindžroverį, tarsi pats vienas kūnu galėtų sulaikyti ir neleisti džipui pavažiuoti daugiau nė metro, kaip kokia užtvara tarp mūsų ir jų.

Mano močiutė (jau mirusi), valų tautybės, liesaveidė ir nelinkusi daug juoktis, vis kartodavo posakį: „Bjaurus kaip velnias!“ Daugelis, daugelis dalykų, mielosios močiutės nuomone, buvo bjaurūs kaip velniai. Toks velnias stovėjo priešais mus, rankas įsirėmęs į šonus ir pasirengęs kautis. Man ausyse skambėjo smagus močiutės balsas su lemties gaida: „Vaje, jis bjaurus kaip velnias!“

– Lipkit lauk, varvanosiai paršai! Tuoj pat lipkit lauk, kol pats neištraukiau!

Iš londonietiškos prastakalbės buvo aišku, kad jis grynas kokni ir – vaje vaje! – bjaurus kaip *velnias!*

– Sėdėk, Danieliau, aš reikalą sutvarkysiu!

Aš ir neprieštaravau.

– Ei, tu! Paslėpk tą kamerą, kol nesugrūdau jos ten, kur skauda!

Labai prašom. Iš karto išjungiau ir paslėpiau.

Lukui ėmus su vyriškiu kalbėtis – pokalbis buvo tylus, kupinas įtampos, akis į akį – stebėjau to vyriškio veidą lyg apkerėtas. Pusę jo dengė tanki gauruota barzda, apačioje susukta gal į dešimtį smaigalių, o ant galvos puikavosi veltų plaukų virvelės, nukarusios iki apykaklės. Kakta buvo išsišovusi kaip urvinio žmogaus ir gožė akis – rudas, laukines, su juodais ratilais kruvinoje įraudusių gyslų jūroje. Jos man priminė išvirtusius įsiutusio vilkšunio akių obuolius, kai šis, besiverždamas nuo pasaito, šoka įsirężęs užpakalinėmis. Veido oda buvo šiurkšti, grublėta kaip reljefinis Mėnulio žemėlapis, nusėta gausybės lyg vis atsinaujindavusių šunvočių liekanų. Lūpos vartėsi tai šen, tai ten. Jei nebūčiau taip išsigandęs, tai būčiau pajutęs jam gailestį.

Vėl pasirodė šviesiaplaukis vaikelis ant moters rankų – pagalvojau, kad ji tikriausiai jo mama. Išniro su juo užpakaliniame lange, ir mūsų akys akimirką susitiko. Ji vėrė žvilgsniu mane kiaurai, tai aš jos kūdikiui nusišiepiau ir abiem rankom parodžiau „liuks". Jis nusišypsojo ir ėmė juoktis, iškėlė, kaip ir aš, savo plonyčius nykštukus, ir man pasidarė taip gaila jo, augančio šitokių valkatų gaujoje.

Lukas kažką dėstė, Velnias klausėsi. Jo veidas buvo sustingęs. Lukas kalbėjo tyliai, žiūrėdamas tiesiai į akis, iš kurių seniai buvo dingęs atšiaurumas.

Paskui Lukas ėmė juoktis. Kvatojo susiėmęs pilvą, atvira burna. Juokas nuaidėjo tarp gyvatvorių, ir pulkelis pabaidytų varnėnų šovė į dangų. Lukas ištiesė ranką, ir tas velniškos išvaizdos vyriškis ją paspaudė. Užpakaliniame autobuso lange sumirguliavo besišypsantys veidai. Net ir Velnias šypsodamasis atrodė nebe toks baisus.

Lukas apkabino jį ranka per pečius ir atsivedė prie reindžroverio. Aš atidariau duris.

– Danieliau, va mūsų herojus! – pasakė Lukas.

„Mūsų?" – tyliai pagalvojau.

– Danieliau, susipažink, čia Žebenkštis!

– Malonu tave matyti, bičiuli! – pasakė man Žebenkštis, apglėbdamas mano ranką savo letena ir įsistebeilijęs man į akis.

– Apie šitą žmogų mes sukam filmą! – pranešė Lukas. Tai va kaip jis palenkė vyriškį į savo pusę. Lukas pasakė Žebenkščiai tai, ką šis norėjo išgirsti.

Žebenkštis man šypsojosi. Jam stigo nemažai dantų. O kvapelis nuo jo sklido tai kaip nuo srutų šiltą dieną.

3

Vampyrai

Mudu išgalvojome istoriją, kuria galėtume nuraminti kiekvieną, kas tik mumis susidomėtų. Pasilikome tik savo tikruosius vardus, Lukas ir Danielius. Mudu pusbroliai, mūsų motinos – seserys (suprantama, kad netiesa); jisai studijuoja žurnalistiką, suka dokumentinį filmą apie kasdienį gyvenimą kelyje (tas buvo tiesa) arba – Žebenkščiai pamaloninti – dokumentinį apie Žebenkšties gyvenimą kelyje, o aš, praeitą vasarą baigęs laikyti egzaminus (čia buvo dar viena pasakėlė, vidurinį mokslą buvau baigęs prieš du gerus mėnesius), jam talkinu. Jam jau tuoj devyniolika (tiesa), o man šešiolika (iš tikro dviejų mėnesių trūksta). Aš pabandžiau padailinti mūsų istoriją ištisu pluoštu įdomių smulkmenėlių, tačiau jis buvo kategoriškai prieš.

– Reikia paprastai, – paaiškino. – Nebūtina persistengti. Jei nori meluoti prideramai, tai turi būti Einšteino ir dramblio hibridas.

Apsistojom palaukėj, kur Žebenkštis nusprendė su saviškiais įsikurti nakčiai, ir kai dangų užplūdo tamsa, Lukas su Žebenkštimi išėjo pasivaikščioti, nes ponas Švaruolis netvėrė noru dėl kažko išlieti širdį. Aš išsitiesiau ant užpakalinės sėdynės ir spėliojau, ką mama pagalvojo radusi laiškelį, mano prilipintą prie vonios veidrodžio prieš geras šešiolika valandų.

Mama,

Tu pasakei, kad namie tikra bėda dėl mano rūgščios minos, tai aš nusprendžiau padaryti tau paslaugą ir išeiti iš namų visiems laikams. Beje, aš nugirdau, ką judvi su teta Džema kalbėjot virtuvėj užpraeitą penktadienį (atsimeni, kada jūs išgėrėt daugiau kaip pusę butelio džino?). Ir jūs teisios. Aš tikrai nesitikėjau, kad buvau neplanuotas nėštumas ir kad nepadėjo kontraceptikai. Tačiau aš taip pat visai nesitikėjau, jog tėtis gali šitaip žemai pulti, kad apskritai su tavim turėtų kokių nors reikalų... Jo prancūzaitė nepalyginti patrauklesnė ir įdomesnė, nei tu kada nors buvai!

Danas

Pasimasažavau smilkinius, kad neįsiskaudėtų galva, ir spėliojau, ar ji skambino į mokyklą. (Į Šv. Patriko koledžą, vadovaujamą Brolių Krikščionių, kur mokosi vien tik berniukai, kur amžinai dvokdavo prakaituotom kojinėm, grindų laku ir smilkalais.)

Paskutinis vaikinas, nešęs kailį, Klaivas Karteris, išsilaikė tris dienas, kol Blekpule jį sučiupo įstatymo sergėtojai, girtą ir pažeidusį viešąją tvarką, ir pargabeno visą apsivėmusį į Mersisaidą.

Spėliojau, ar ji skambino policijai ir ar duos mano nuotrauką paieškai. Meldžiau Dievą, kad neduotų viešinti tos nuotraukos, kur aš apsivilkęs šūdiną velvetinį švarką Fionos vestuvėse. Ar dėl mano pabėgimo sutriko jos kasdienybė? Antradienio vakaras, taigi ji turi dirbti padavėja. Antradieniais ji dirba „Didkepsninėje" Prieplaukos Gale. Gal net vertėtų ten paskambinti ir sužinoti.

Danguje šviesesnes properšas ėmė sparčiai ryti niūresni juodai mėlyni atspalviai. Su tamsa Žebenkšties „šeimyna" (taip pavadino jis, ne aš) atgijo kaip gauja vampyrų. Dzingsint sidro buteliukams ir traškant laužams, tolumoj tris kartus ūktelėjo kažkoks paukštis, gal apuokas, o gal ne, ir vėl nutilo.

Naktis dėl kylančių liepsnų tapo ryškiai oranžinė ir sudarė įspūdį, kad čia sapnas. „Čia juk tik sapnai, čia juk ne sapnai..." Vėl tie žodžiai prikibo kaip kokia daina, ir nepajėgiau išmesti iš galvos.

Atsisėdau. Ant kapoto sėdėjo tas pats geltonplaukis berniukas, kurį pirmiausia pamačiau autobuso gale. Jis rankutėmis ir nosimi buvo prisispaudęs prie lango. Jam apie burną ant stiklo pasklido garas. Dvejų, gal trejų metukų. Bežiūrint į jį norėjosi, kad jis gyventų namie, ramiai miegotų lovelėje, turėtų normalius tėvus, kurie jį nakčiai apklostytų.

Sėdėdamas išsitempiau visu ūgiu ir tariau jam, nutaisęs vaikų laidos vedėjo balsą:

– Sveikas, bičiuli!

Vos tik nuskambėjo pamėgdžiojami laidos garsai, jis iš karto pravirko, bejėgis nuslydo nuo kapoto ir dusliai bumbtelėjo į žemę.

Iššokau ir sukrapščiau kišenėje plytelę kramtomosios gumos. Išvyniojau ir jam padaviau. Parodžiau fokusą, ir jis nurimo. Paklausiau:

– Tai kas gi tu toks, vyruti?

Atsiklaupiau prie jo ir nusišypsojau.

– Kailas Volfas!

– Kaip gražiai skamba, – pamelavau ir ištiesiau rankas jo paimti.

Angelišku veiduku tyliai nusirito dvi kankinio ašaros, ir kai suėmiau jo rankytes, vaikas kad spirs man batuku, ir pataikė prie smakro, lyg boksininkas geru kabliu. Tvykstelėjo žaibas – ar galvoje, ar lauke, nė nebesupratau.

– Oi! Oi! Oi! – ėmiau šokinėti.

Kailas džiaugsmingai sukikeno, nepadedamas atsistojo ir nupėdino atgal prie karštų laužų stovyklos viduryje, tik kartą atsigręžė, man pamojo ir šūktelėjo:

– Atia atia, pone pone.

– Atia atia, Kailai Kailai! – atsiliepiau trindamasis veidą ir jusdamas burnoje kraujo skonį.

Žiūrėjau, kaip mažytė figūrėlė nukerėblinusi tirpsta tamsoje tarp laužų, tikėdamasis, kad nukritęs vaikas nesusižeidė.

– Ar kas nutiko? – skardžiai ataidėjo Luko balsas nežinia iš kur. Kai atsigręžiau, blykstelėjo balta šviesa. Lukas nusišypsojo ir, padaręs dar vieną nuotrauką, įsikišo fotoaparatą į švarko kišenę.

– Gal nufotografuoti tave? – paklausiau, bet jis papurtė galvą.

– Judam, Danieliau, – atsakė sėsdamas ant vairuotojo sėdynės. – Pasišnekėjau su Žebenkštimi. Tas vyrukas pakvaišėlis! Jam vietoj smegenų skambaliukai!

Visos mintys apie namus išgaravo, Lukui įjungus degimą, ir, įsiropštęs į džipą, gavau gerą dozę jo užkrečiamo juoko.

– Kur mes važiuojam? – pasidomėjau.

– Į viešbutį. Mums tikrai nėra ko bastytis ilgiau, nei reikia. Ne per daugiausia turiu pinigų, Danieliau, bet kadangi ši naktis tau pirmoji ne namie...

Netvėriau džiaugsmu, kad važiuojam sau. Žebenkšties žmonės – išskyrus Kailą – įvarė man gerą dozę šiurpo.

– Pastovyklausim rytoj!

– Nereikia mums į jokį viešbutį.

– Rytoj turėsim rimto darbelio. Tu turi gerai išsimiegoti.

– O kas rytoj bus?

– Pašnekėsim paskui, Danieliau.

* * *

Atsidūrėme stovėjimo aikštelėje priešais tariamąjį Tiudorų laikų kaimišką viešbutį.

Lukas pažvelgė į filmavimo kamerą ir vaizdajuostes ant užpakalinės sėdynės ir įbedė žvilgsnį į mane.

– Kaip manai, ar čia galima palikti?

Užmečiau savo zomšinį švarką.

– Mes visiškame užkampy, – paaiškino, mums einant prie pagrindinių durų, ir staiga ėmė juoktis.

– Kas yra? – paklausiau įžengiant į „Baltojo elnio" viešbutį.

– Žebenkštis mano, kad pasaulis atsidūręs ant didelės ekologinės katastrofos slenksčio. Pasauliui gresia atominis sprogimas ar dar kas. Įvyks šiemet, kaip sakė, per Helovyną. Pašlemėkas. Bet, Danieliau, juokingiausia, kad... – Lukas taip juokėsi, kad kurį laiką tiesiog negalėjo atskleisti man esmės. – Žebenkštis sako, kad iš visų žmonių išgyvens tik jis ir tik tie, kuriuos jis laikys esant vertus išgelbėti.

– Ir kaipgi jis ketina gelbėti?

– Sako, kad žino stebuklingą požeminę olą prie Stonhendžo, kur galima pralindėti per didžiausius baisumus, o kai viskas baigsis, jis tikisi išlįsti su savo sekėjais ir tapti pasaulio valdovu, pradėti visiškai naują žmonijos rasę, pagal jo pavyzdį.

– Na, jei čia tiesa, tai supermodeliai jau tebus tik praeities prisiminimas.

Kai priėjome prie registratūros, šeimininkė, ponia Sara Blekvel, kažkokia papuvėlė, gal trijų dešimčių metų, o gal devynių dešimčių, nužvelgė mus nepatikliai. Ji pareikalavo, nors ir kuo mandagiausiai, užsimokėti už kambarį iš anksto. Lukas davė jai ketvertą dešimties svarų banknotų ir paprašė staliuko restorane. Čia išėjo gerai. Ji nusišypsojo. Karčiai.

Paraginta padavėja priėjo prie mūsų staliuko ir, man nė nespėjus prabilti, Lukas užsakė:

– Vegetariškų lakštinių, prašom dvi porcijas, traškučių ir salotų. Danieliau, nori salotų?

Papurčiau galvą ir atidaviau valgiaraštį.

Mačiau tenai įrašytą didkepsnį ir būčiau neatsisakęs, bet negi prašysiu? Užuodžiau jo aromatą, atsklindantį iš virtuvės netoli mūsų staliuko. Ir mačiau didkepsnį, patiektą ant gretimo staliuko. Ten vidutinio amžiaus pora darbavosi su didkepsnių peiliais. Lukas užklupo mane bežiūrintį.

– Didkepsnio tai tu juk nenori, ar ne? – paklausė.

– Ne, Lukai, aš noriu vegetariškų lakštinių.

– Tiesiog aš nevalgau mėsos ir... – arčiau palinko prie manęs. – Nuo mėsos kvapo man bloga. Negaliu valgyti, kai ant to paties stalo mėsa. Nelabai kaip jaučiuosi ir kai mėsa valgoma prie gretimo stalo.

Palinksėjau galva.

– Šitaip elgtis su gyvūnais – barbariška. Danieliau, ar esi girdėjęs apie mėsos pramonę?

Mačiau per televiziją apie gyvenimą ir mirtį ant skerdyklos grindų. Ir pripažinau, kad viskas tenai negarbinga. Bet aš turėjau vieną problemėlę. Kai tada ekranu baigė slinkti dokumentinio filmo pabaigos titrai, jau po dešimties minučių nebesugebėjau susieti karvės, kabančios ant mėsinės kablio, su mėsainiu.

– Taip, aš ir pats bemaž vegetaras. Labai retai tevalgau mėsą. Man bjauru, kaip elgiamasi su gyvūnais.

– Kas iš to „bemaž", Danieliau? Kodėl negalėtum atsisakyti visiškai?

Nužvelgiau odinę jo striukę ir labai norėjosi užduoti jam analogišką klausimą. Bet susilaikiau. Tik gūžtelėjau pečiais ir nusišypsojau. Jis ant duonos užtepė sviesto ir padavė man. „Tu valdingas veidmainys", – pagalvojau. Tyliai atsikandau duonos ir suskaudo burną, kur buvo žaizdelė nuo Kailo kung fu spyrio. Liežuviu tekėjo kraujas. Taip man ir reikia – juk mintyse tryniau Luką į miltus, linkčiodamas ir šiepdamasis, valgydamas *jo* duoną.

– Dėl rytojaus. Žebenkštis man sakė, kad čia netoliese medžiojamos lapės.

– Medžiojamos lapės?

Dabar jau čia buvo kuo aiškiausias reikalas. Jau seniai troškau nuveikti ką nors, kad gyvūnai nebūtų žudomi dėl pramogos, ir niekad nepavykdavo daugiau nei pasirašyti kokią peticiją ir parūstauti.

– O ar toli?

– Dvaras vadinasi Danvigeno Holas, už dešimties mylių nuo čia. Žebenkštis ketina eiti to sutrukdyti. Jis nori, kad mes nufilmuotume. Ar negalėtume?

– Kodėl gi ne! Oi, kaip norėčiau įamžinti porą organizatorių ir išvesti juos iš proto! Negaliu aš tau apsakyti, Lukai, kaip jų nepakenčiu. Oi, kaip norėčiau užpjudyti juos ruja šunų ir pasižiūrėti, ar ir toliau šį dalyką vadins pramoga.

– Užkabinau gyvą nervą, – pasakė Lukas.

Nepastebėjau, kaip ponia Blekvel prisiartino su mūsų valgiais, bet iš jos žvilgsnio iš karto supratau, kad girdėjo, ką aš kalbu, ir ji tikrai buvo iš tos pačios užmiesčio šutvės. Lukas išsišiepė: „Na ir prisidirbai, vaikeli!" Ant stalo teškiamos lėkštės vos nepažiro šukėmis, ir ponia spruko atgal į virtuvę.

Lukas tyliai įniko į valgį, paskui ramiai pasakė:

– Roveryje yra beisbolo lazda. Rytoj bent jau vieną kokią galvelę tai perskelsim!

Jam bešveičiant savo lakštinius, man staiga šiurpas perėjo per kailį, ir kąsnis jau nebelindo. Aišku, jis tik smarkiai pasakė...

– Nagi, Danieliau, valgyk!

Pakėliau šakutę, bet negalėjau nulaikyti.

– Žinai, dėl šito tai aš su tavim sutinku, – tarė Lukas, sugniaužtu kumščiu smūgiuodamas į orą palei pat stalą, kad tik aš ir tepamatyčiau.

Pervėriau šakute lakštinius ir staigiai pasukau galvą durų link. Lukas tarė:

– Na, tai rytoj mes vien tik viską filmuosim. Gal čia mums pavyks geriausiai. Tik tiek. Jokio smurto.

Man taip palengvėjo, kad vos nepasileidau pasipūtęs kinkuoti po restoraną kaip koks klyvakojis vištgaidis. Kai jis buvo prakalbęs apie smurtą, tai pabūgau nesąs tam tinkamas, be to, pagrįstai buvau linkęs tupėti po lapu. Suimtam būti man reikia lygiai taip, kaip reikėtų įmantrios liemenėlės ar tatuiruotės ant kaktos.

– Nufilmuosim Žebenkštį. Iš saugaus atstumo, – nusišypsojo. – Rytojus priklauso man.

– Taigi rytoj. Gal ir gerai, – pritariau ir slapčia atsikvėpiau su didžiuliu palengvėjimu.

– Žinoma, kad gerai.

4

Rytas

Pabudau naktį, susapnavęs labai negerą sapną. Iš pradžių neprisiminiau iš to sapno nė vieno vaizdo, tik buvo sukausčiusi kažkokia baimė ir visai nesusigaudžiau, kur esąs. Jaučiausi paralyžiuotas sąmonės pritemimo, visi pojūčiai buvo išsekę. Pašnibždomis klausiau savęs: „Kur aš?" Nesusigaudžiau, ką aš čia veikiu. Mane supo vien tik tyla ir tiršta tamsa, ir baimė, kad tikriausiai įsmukau į juodąją skylę tolimiausiame kosminės erdvės taške.

Paskui netoliese išgirdau negilų Luko kvėpavimą ir ėmė atsipalaiduoti virtinė viena kitą kausčiusių minčių. Lukas, viešbutis, kaimo vietovė, autostrada, pabėgimas, kol galvoje susikristalizavo tas sapnas.

Aš bėgu vejamas kiek kojos neša, veidu palei pat žemę, skuodžiu autostrados pakraščio žole, užpakalyje girdžiu kažką atidundant šuoliais, atstumas neabejotinai mažėja, ten dunda sunkios kojos, siaubingos letenos, o priekyje, ant pylimo, laukia manęs gili anga. Bėgu iš paskutiniųjų, užpakalinės mano kojos kelte kelia mane nuo žemės, o priekinės nukreiptos tiesiai į angą. Bet jau juntu šunų alsavimą, iš nasrų jiems drimba ir taškosi seilės, jau kaukši dantys man prie uodegos galiuko, o žiojėjanti anga, viltis išsigelbėti, staiga nutolsta neįtikėtinai. Sutrimituoja triumfuodamas medžioklės ragas, šunys šoka ant manęs, partrenkia ant žemės ir drasko aštriais kaip durklai dantimis mano kailinį apdarą, lupa nuo mėsos pasiutiškais kąsniais.

Aš tai užmigdavau, tai vėl nubusdavau per tą likutį nakties, paskui nejudėdamas gulėjau, tarpais pasnūduriuodamas, kelias neramias valandas, kol rytas įslinko pro tarpą tarp užuolaidų ir kol įėjo į kambarį Lukas pro siauras duris ir vėl atsigulė. Nemačiau, kada buvo išėjęs.

* * *

Tarsi būčiau atvažiavęs į mirusiųjų kaimą. Nuo vakaro laužų liekanų driekėsi dūmai. Daugybė tuščių butelių po išgertuvių mėtėsi visame lauke. Lukas apžvelgė suterštą plotą, palingavo galva ir sušnabždėjo:

– Kiaulės!

– Kur tu naktį buvai?

– Naktį?! – pasižiūrėjo į mane sutrikęs. – Niekur.

– Kai atsibudau paryčiais, tu grįžai į kambarį iš koridoriaus.

– A, taip. Tiesa, aš koridoriuj kažką išgirdau. Nesupratau, kas ten galėtų būti. Nuėjau pasižiūrėti.

– Ir kas ten buvo?

– Nieko.

– Gal centrinio šildymo vamzdžiai? – pasvarsčiau.

Lukas gūžtelėjo pečiais:

– Galbūt, – ir palinksėjo galva į didžiausią iš palapinių, kuri atrodė atspariausia vėjui ir ne taip lengvai nugriaunama, nes kažkas ten sujudėjo. – Filmuok!

Įjungiau kamerą. Iš palapinės pasirodė Žebenkštis apsiblausiusiomis akimis, pusiau gyvas, pasitampantis kelnes.

– Žebenkštie! Nagi, dranguži! – Lukas aiškiai norėjo, kad viską padarytume kuo greičiau.

Žebenkštis atsekė paskui mus į roverį, atsidarė užpakalines duris ir atsisėdo man už nugaros. Pasklido jam būdingas kvapų derinys: dėl nebejauno kūno, apleistų dantų, maisto likučių ir nesilaikomų higienos taisyklių, pamirštų per daugelį metų keliaujant daugelio mylių atstumu nuo tekančio vandens.

Pasistengiau neatsitraukti nuo Žebenkšties, kai ištiesė į mane savo ilganagę leteną, pasidengusią ne vienu sluoksniu purvo ir astrologinių tatuiruočių.

– Ogi tu kas toks? – paerzino jis mane.

Supratau iš jo balso, su kokia panieka taukštelėjo man per sprandą. Lukas įjungė pirmą pavarą ir pajudėjome.

Atsigręžęs suėmiau jo ranką.

– Jau kas esu, tas!

Tolumoje išlindo iš palapinės Kailo mamytė, kažko susinerimusi, smarkiai modama rankomis, tarsi kas jai kaitintų padus. Ji pabėgėjo keletą metrų paskui mus, bet jau nėrėme į gyvatvorės properšą ir prapuolėme. Daug nemąstęs, nufilmavau ją, šokančią savotišką karo šokį. Paskui atsigręžiau į priekį.

– Ar važiuoju ten, kur reikia? – paklausė Lukas.

– Varyk, pasakysiu, kur pasukti! – sugriaudėjo Žebenkštis iš savojo pasaulio glūdumos. – Ei, Liverpuli... – kreipėsi į mane jau padoriau.

– Ką, Londone?

– Kuo vardu?

– Danielius!

– Danielius iš liūtų duobės, ar ne? Kaip Danielius Biblijoj, kai buvo įmestas į liūtų duobę, ir liūtai Danieliaus nelietė. Kaip tau liūtų duobėj?

– A, taip, kartą aš įlipau pas liūtus Česterio zoologijos sode. Pavaišinau vieną liūtą sumuštiniais. Tas buvo labai dėkingas.

– Ne, Danieliau, – tyliai pasakė Žebenkštis. – Tu liūtų duobėj va dabar.

– Apie ką tu, Žebenkštie?

– Danieliau, aš apie *viską!*

O paskui keletą mylių važiuodami klausėmės Žebenkšties paties sukurtų dainų, prastai surimuotos lyrikos ir čia pat užmirštamų gaidų. Jo muzika buvo kaip iš pragaro muzikinio automato.

Kai pavargo dainuoti, papasakojo mums, kaip vadovavo visoms didžiosioms pilietinio nepaklusnumo akcijoms – dėl medžių kirtimo, gyvulių eksporto, visuotiniams išpuoliams prieš kapitalizmą. Štai kodėl valdžia buvo pasamdžiusi jį sumedžioti žudiko.

O kai pavargo nuo savo didvyriškų žygdarbių, tai nusižiovavo, pabezdėjo, krito miegan ir kirmijo iki kelionės pabaigos.

Išlaipinome jį prie kryžkelės netoli nuo Danvigeno, kur turėjo prasidėti medžioklė. Jis pasakė Lukui vėliau jį čia ir pasiimti.

– Taip, sutarta! – atsakė Lukas, bet šyptelėjo man.

Spėliojau, ar toli Žebenkščiai reikės pėdinti.

Pro virtinę pakelės medžių matėme Danvigeno Holo dvarą iš užpakalio ir protestuotojų minią, kurios neprileido policininkai, išsirikiavę palei aptvertų žemės valdų pakraštį. Mums važiuojant keliu, sabotuotojai, vieni poromis, kiti po vieną, klaidžiojo po žalias pievas, ir aš prisiminiau Žebenkšties žodžius apie Danielių liūtų duobėje. O gal jis turėjo galvoje šią ramią anglų kaimo vietovę? Gal čia ir yra liūtų duobė? O gal jis tiesiog nušnekėjo, taip sakant, kaip su nugaros pabaiga.

Aš viską įrašinėjau į vaizdajuostę. Privažiavome Holo užnugario vartus, ryto saulės spinduliuose didingus ir grakščius. Samdyti žmonės, šunų dresuotojai, padėjėjai, medžioklės organizatoriai jodinėjo aplinkui, telkėsi kaip nakties debesys senoviniame siaubo filme.

– Nerviniesi? – paklausė Lukas.

Neatsakiau. Išjungiau kamerą. Ji buvo drėgna, kur laikiau ją su ranka ant peties. Akimirksnį pasaulis aplinkui mane nutilo, ištirpo mano vaizduotėje, ir aš vėl atsidūriau didžiuliame ekrane, poliekraniniame kine prie namų, pusmetriu aukštesnis nei tikrovėje, surištomis per raumenis rankomis, iš ryžto surauktomis akimis, su užsispyrėlio smakru, su filmavimo kamera – lyg su granatsvaidžiu. Lukas, pusiau žmogus, pusiau robotas, vairavo per sproginėjančių minų lauką, ir mudu buvom superherojai, nepaisantys kulkų, persekiojantys priešus jų pozicijose.

„Jie vykdė užduotį!" – skambėjo man galvoje tvirtas kaip plienas amerikietiškas balsas. Mano didžiuliams krūtinės raumenims virpuliuojant, mes kaip perkūnas atkakliai veržiamės per padūmavusią, lavonais nuklotą karo zoną. „Dvejetas tų, kurie antrą kartą šito nebeatlaikytų..." Paskui energingasis balsas už kadro nutilo, ir tikrovė vėl virto kūnu, kai skaidrūs saulės spinduliai prasiskverbė pro žalią šakų skliautą virš mūsų ir kai juodasis strazdas, ar kas ten, linksmai pragydo aukštai danguje.

Mus važiuojančius vartų link sustabdė katiliuku pasidabinęs raudonšvarkis medžioklės tvarkdarys. Rankoje jis laikė dokumentų lentelę ir žengė prie mūsų kareiviškai pasitempęs. Lukas atidarė langą ir iškišo galvą.

– Ponas Katiliukas, buvęs kareiviukas! – pašiepė Lukas prisiartinusį tvarkdarį.

– Ar esate svečių sąraše? – paklausė Katiliukas visai kaip rūstusis tėvas iš anekdoto apie ūkininko dukras.

– Ne, nesame! – Lukas tarė staiga kitu tonu, tarsi kalbėtų nuosavuose senoviniuose dvaro rūmuose. – Mes filmų kūrėjai, taigi domimės, ar nebūtų kaip nors įmanoma mus įleisti, tik porai minučių ar panašiai!

Katiliukas nusijuokė – visais dantimis ir visa poza tiesiai Lukui į akis – ir kažką suniurnėjo:

– Filmų kūrėjai?! Demaskuotojai mėgėjai!

Lukas atlaikė Katiliuko žvilgsnį, ir vyriškis nebesivaipė, tik labiau įsisiurbė akimis į Luką.

– Jeigu galite, tai įleiskite, – tarė Lukas. – O jei ne, tai ne, bet nėra ko iš mūsų tyčiotis!

Po ramiu Luko tonu slypėjo įniršis. Katiliukas pasišiaušė kaip šunį išvydęs katinas.

– Nesate svečių sąraše?! – perklausė Katiliukas. – Tai verčiau dinkit iš čia, kol nesusilaukėt nemalonumų.

– Nenorim mes jokių nemalonumų, – pareiškė Lukas, pasisuko į mane ir nusijuokė, o aš pritariamai linktelėjau. – Mes vyrukai taikingi.

Lukas ištiesė Katiliukui ranką ir paspaudė. Šis buvo priblokštas.

– Apsisukit ir važiuokit iš kur atsiradę!

Katiliukas jau norėjo eiti sau, bet Lukas įsikibo jam į ranką ir tarė:

– Jau tuoj važiuojam! – jis mėgdžiojo vyriškį šiurpinamai laisvai, panašiai parinkęs ir taip pat tardamas žodžius, nutaisęs tokį pat balsą ir taip pat vaipydamasis.

Kai Katiliukas pagaliau susigaudė, kas darosi, Lukas paleido jo ranką.

– Verčiau jūs iš čia išsidangintumėt! – grėsmingai tarė Katiliukas, čiupdamasis mobiliojo telefono tarsi kaubojus ginklo, – arba aš pasirūpinsiu, kad jums gerai išpertų kailį!

Lukas pavarė roverį atbulą ir sušuko:

– Tik neapsišlapink, Katiliuk, mes jau važiuojam! O tyčiotis iš mūsų tai nederėjo, – metė jam Lukas ir taip staigiai apsisuko trigubu manevru, kad Katiliukas nė nebegavo progos ką nors atsakyti. – Greit pasimatysim, prisiekiu! – dar šveitė jam, ir nuriedėjom keliu.

Aš šiek tiek patylėjau, o paskui paklausiau:

– Ar viskas gerai, Lukai?

– Jam nederėjo tyčiotis!

Akimirksnį jo žvilgsnis, regis, buvo itin žiaurus. Jaučiausi suglumintas jo žodžių, kol netrukus ėmė niūniuoti kažkokią dainelę, lyg ir mano girdėtą, tik negalėjau prisiminti kur.

Nuskambėjus keletui rimuotų žodžių su lengva melodija, stojo didinga tyla.

– Iš kur čia? – paklausiau ketindamas kiek praskaidrinti nuotaiką.

– Iš kur? Daina, ir tiek.

* * *

Mes įsibrovėme į žemės valdas, sekdami paskui grupelę protestuotojų, bėgančių Holo link.

– Varom! – tarė Lukas ir pasileido tekinas paskui kitus.

Bėgdamas paskui jį pajutau, kaip kažkoks įtampos kamuolys iš paširdžių ima ristis čia į vieną, čia į kitą pusę ir po pat galvos oda pradeda nepaliaujamai niežėti.

Sustojome prie medžių, turbūt ąžuolų, o gal bukų, tokių gausiai šakotų, kur labai patogu užsikorus tupėti aukštai virš žemės.

– Lukai, – kreipiausi, suskubęs sumąstyti, kaip likti per kuo didesnį atstumą nuo gresiančių įvykių, bet nepasirodyti visišku skystalu, ir parodžiau jam į medžių viršūnes. – Apžvelkim padėtį iš viršaus!

Man tikrai palengvėjo, kai jis tarė:

– Gerai sugalvojai, Danieliau!

Įsikišau kamerą už marškinėlių ir pasakiau:

– Daryk kaip aš!

Dviejų šakų tvirtai įsikibti ir vieno gumbo prie medžio pagrindo man pakako imti kopti kamienu. Kabinausi rankomis ir vijausi kojomis apie šakas.

– Nenukrisi, – žvalinau Luką, tempdamas aukštyn už rankų arba nusikardamas visu kūnu prilaikyti jo, kad nenukristų.

Jis užsiropštė ant šakos čia pat po manim ir ilgai gaudė orą.

Reginys buvo puikus, viskas kaip ant delno, tarsi kokioj, po paraliais, šachmatų lentoj. Raudonšvarkiai medžioklės organizatoriai jau rikiavo visus su šunimis ir tarnais, protestuotojai jų laukė laikomi policininkų grandinės, o kitapus lauko sabotuotojai purškė žolę aerozoliais, skleisdami dirbtinius kvapus apkvailinti šunims. Išsitraukiau kamerą, spustelėjau įrašymo mygtuką ir išdidinau vaizdą ten, kur pamačiau Katiliuką imant nuo gėrimų padėklo taurę vyno, juokiantis, šypsantis ir malant liežuviu.

– Pasižiūrėk ten, kur puotauja, Lukai. Ten tavo mieliausias drangužis.

– O, taip, – atsakė Lukas. – Ir šypsosi kaip besmegenis! Besmegenis? Na, tikriausiai taip jam ir baigsis. Kaip man smagu, kad jis dabar toks laimingas. Juk niekad nežinai, kas laukia tavęs už kampo.

Aš jau norėjau prašyti paaiškinti man kiek smulkiau, bet minia sugriaudėjo pykčio šūksniais.

Medžioklė prasidėjo. Policijai tvirtai laikant protestuotojų bangą, žirgai, šunys ir raiteliai pasileido į mūsų pusę. Nelengva buvo ir sekti įvykius, ir kartu išlaikyti pusiausvyrą. Man vos neišsprūdo kamera. Lukas sušuko:

– Štai, žiūrėk, Danieliau!

Iš kažkur išdygusi vieniša rudoji lapė staiga susidūrė su labai realia mirtimi. Kai puolė į priekį šunys, prasidėjo pats medžioklės įkarštis. Lapė spruko į rytus, kur ryškiai spindėjo saulė, ir vaizdą objektyve trumpam užliejo akinama šviesa. Paskui saulės spinduliai prigeso ir aš vėl mačiau pro objektyvą.

Šunys gaujos priekyje staiga pasisuko, visi pajutę tą patį, ir pasileido į mus. Tada aš pirmą kartą gyvenime pamačiau tikrą lapę. Ji atrodė jauna ir lėkė medžių link nuo mirties. Norėjau kamerą išjungti, bet nepajėgiau. Kai lapė lėkė artyn, objektyve išvydau snukį – nosį, akis. Išvydau ir ją persmelkusią baimę.

Šunys jau artėjo ir tikriausiai ketino remti ją prie medžių. Užsimerkiau ir staiga lyg išvydau viską lapės akimis, kaip kad sapnavau, žemė skriejo po pat manimi, tarsi mano siela būtų lėkusi su lape.

Atsimerkiau ir nutaikiau kamerą į artėjančius raitelius. Jų veidai rytmečio saulėje raudonavo iš susižavėjimo, jų akis, ausis, nosis ir burnas, jų galvas dengė kietos juodos kepurės. Vyrai, moterys ir mergina, mano amžiaus ar panašiai. Ji atrodė sutrikusi, o ne džiugi, ne prislėgta ir ne sujaudinta, bet jinai jojo su jais ir buvo viena iš jų.

Lojimas po mumis virto audra. Supratau, kad įvyko, kas buvo neišvengiama. Lapė rėkė, rėkė kaip mušamas kūdikis, medžių šešėlyje užgriūta su dantimis ir iltimis. Aplinkui mus stojo tyla, kai medžioklės organizatoriai stabtelėjo netoli mūsų. Man kūnu pasklido tirpulys, slopindamas jausmus, spartindamas širdies plakimą.

– Kokie greiti šunys, kokia kvaila lapė, – pasigirdo kvatojant po medžiu.

Kalbėjo kažką ir Lukas, pašnabždom, bet jo žodžių aš neišgirdau.

Stambiu planu pagavau jų veidus, šypsenas, pasitenkinimą, kvaksėjimą iš laimės, kol jie tenai kažko laukė. Ištyręs visą grupę, nukreipiau objektyvą į merginą. Kažkas ištarė jos vardą, „Kete!" Ji atsigręžo ir pakratė galvą. Ar jos akys iš tikrųjų ašarojo, ar čia tik šviesos žaismas? Ji nusiėmė kepurę ir pamačiau tankius juodus plaukus, kietai suveržtus į mazgą. Perėjau į panoraminį vaizdą – pasirodžiusius iš po medžių ir lydimus ovacijų šunis, nešinus kruvinu lapiuko kūneliu.

– O kas gi čia dabar?! – nusistebėjau, išvydęs vedamą už rankos kokių aštuonerių ar devynerių metų bernaitį.

Lukas paaiškino:

– Pratina vaiką prie kraujo!

Medžioklės tvarkdarys pavilgė skepetą į atviras lapės žaizdas ir patepė krauju berniukui veiduką.

Nusukau akis šalin ir išjungiau kamerą. Negalėjau šito ne tik filmuoti, bet netgi ir matyti.

Lukas tą frazę ištarė tyliai, jo balsą užgožė lapų ošimas.

– Kas gi čia buvo, Lukai? – dar kartą paklausiau pašnabždom.

– Sakau gi, pratina prie *kraujo*... jeigu jie nori šito, tai kaip tik šitą ir gaus!

5

Smurto filmas?

Dienai palengva grimztant į vakaro sutemas, jaučiausi toks išvargęs, kad būčiau užmigęs net kapo duobėj, ir kai parsivilkom į reindžroverį, tai tiesiog sėdėti užsimerkus jau buvo neapsakoma palaima.

– Pavargai? – pasiteiravo Lukas. – Truputį pasėdėk ir pailsėk, Danieliau.

Laimei, gavau progą užsimerkti, bet vos tik galvą užliejo tamsa, iš karto plūstelėjo virtinė gyvų vaizdų – visai netikėtų ir padrikų: šunys su negyva lape, berniuko veidas, tepamas krauju. Ir Ketė. Jei būčiau matęs tokią einančią gatve, tai nė į galvą nebūtų atėję.

– Ar palikti čia tave trupučiuką, Danieliau? Galėsi snūstelėti.

– Kur tu eini?

– Pasivaikščioti.

– Varyk... Lukai. Ačiū.

– Saldžių sapnų.

Dainuodamas vis tą pačią dainą, Lukas skynėsi kelią tarp nusvirusių šakų, slepiančių automobilį nuo kelio. Atsiguliau ant sėdynių ir vietoj pagalvės pasikišau po galva rankas. Širdis daužėsi taip, lyg būčiau kažin kiek lėkęs aukštyn laiptais, kaip kad plakdavo žengiant į mokyklos salę laikyti egzaminų, ir šitaip aš turėjau praleisti porą mėnesių. Bet nenorėjau galvoti apie namus nei apie mokyklą. Pabėgęs buvau dar tik trisdešimt šešias valandas, o atrodė man jos kaip trisdešimt šeši mėnesiai. Tvirtai sau pasakiau, kad namo negrįšiu. Visai? Visai. Visai...

Vėl prisiminiau Ketę. Lukas ją pavadino pačia bjauriausia pasaulyje baidyklėle. Linktelėjau ir ištariau keistai abejingai:

– Tikriausiai.

Bet, ramiai pagalvojus, tikriausiai ji šitaip elgiasi dėl ramybės namie. Paskui akimirką nemąsčiau visiškai nieko, tik išgirdau giliai savyje kažką murmant: „Jeigu ji būtų šuo, tai tu pateisinimų jai neieškotum!

Kai atsibudau, medžių properšose temo naktis, o Lukas vis dar nebuvo grįžęs. Atsisėdau ir suėmiau durų rankenėlę. Užrakinta. Žvilgsnis nukrypo į uždegimo spynelę. Raktelių nė ženklo. Supratau esąs įkalintas.

Netikėtai iš atminties iškilo seniai palaidotas prisiminimas, kaip aš dvimetis netyčia buvau užrakintas sodo pašiūrėje. Tas prisiminimas išsiropštė į patį sąmonės paviršių, ir mane apėmė įvairialypė baimė, tarsi priėmusi iššūkį mano galvoje stoti į dvikovą greitašaudžiais ginklais. „*Kas čia dedasi?* Nutiko kažkas siaubingai negero. *Ką čia Lukas padarė?* Jis tave užrakino!"

Veltui judinau langus tyrinėdamas, ar jie kaip nors nepastumiami, ir kas akimirką smegenyse žaibavo vis siaubingesnė neviltis. Aš apskritai nemėgstu ankštos erdvės nei užrakintų durų, nei kai staiga užgęsta sklidusi pro miegamojo durų plyšius laiptinės šviesa. „Čia juk tik sapnai, čia juk ne sapnai..." – aidėjo galvoje, ir pamačiau Luką, einantį per krūmus, besišypsantį ir įbedusį į mane žvilgsnį tirštėjančioje tamsoje, lyg jis būtų koks antgamtiškas miško padaras.

Ir staiga išvydau raktelius ant grindų prie sankabos. Tą pačią akimirką piktosios dvasios ir baidyklės paspruko į tamsą mano atminties užkaboriuose.

– Išsimiegojai gerai? – paklausė atidaręs vairuotojo duris.

Nubudęs taip išsigandau, kad dabar pasijutau tiesiog kvailas, kai Lukas pakėlė raktelius nuo grindų, kur buvo palikęs (o aš nepamačiau), ir, tėkštelėjęs man ant kelių parduotuvės maišelį su vaisiais, šokoladu ir konservuotais gėrimais, smagiai paragino:

– Vaišinkis, Danieliau.

Pajutau raustąs iš gėdos. Jis buvo pats gerumas, o juk prieš akimirką, pasidavęs baimei, aš jį apkaltinau, kad mane užrakino. Išsitraukiau iš maišelio obuolinį „Tango" ir ėmiau pamažu gurkšnoti. Lukas švilpavo tą pačią dainos melodiją, kur anksčiau niūniavo. Paskui ėmė dainuoti vis tą pačią eilutę. Vis tą pačią.

– Tau šita daina patinka, a? – paklausiau.

Neatsakė. Mes pasukom į siaurą keliuką, juo vos tilpom važiuoti, ir aš susimąsčiau, ar tik šiek tiek nesikraustau iš proto, jei taip apkaltinau Luką mintyse, kad mane užrakino. Užteko man kvailumo taip pamanyti, pakako ir bukumo jaustis dėl to kaltam.

– Spėk, ką tokį aš mačiau va ką tik? – paklausė.

– Nežinau. Neįsivaizduoju. Ką tokį matei?

– Katiliuką.

– O jis tave matė? – mane užplūdo karštis ir čia pat nupurtė šaltis. Lukas papurtė galvą.

– Jis ėjo į alinę, į „Katiną ir smuiką", su daugybe žmonių iš medžioklės.

Lukas nutilo, lyg laukdamas, ką atsakysiu. Pasižiūrėjo į mane. Jis laukė, o aš nesupratau, ką jis nori man pasakyti.

Krimstelėjau savo nykščio nagą ir sumurmėjau:

– Tai ar jis tebedėvėjo tą bukaprotišką skrybėlę?

Lukas linktelėjo. Ir tebelaukė.

Jis tikėjosi, kad pasakysiu ką nors konkretesnio, tai pabandžiau šitaip:

– Oi, pašlemėkas! Neįsivaizduoju, kaip jis galėjo taip tyčiotis.

– Va apie ką aš ir galvoju, Danieliau, va apie ką. Ko, po velnių, jis iš mūsų tyčiojosi, jeigu nori gražiai pasirodyti? – Lukas kalbėjo ne taip piktai kaip anksčiau, bet *trupučiuką nušnekėjo:* – Gal jį reikia pamokyti?

Klausimas mane sutrikdė kaip koks nepatogumą keliantis kvapas.

– Ko pamokyti? – paklausiau išgryninti orui.

– Gražaus elgesio. Paruošk kamerą, patildyk muziką!

Užsikėliau kamerą ant peties ir nukreipiau tiesiai į keliuką, kuriuo važiavome, į siaurą kaimo gatvelę. Tarp dviejų medžių vėjyje suposi įvairiaspalvių švieselių girlianda, o už jos kiek tolėliau matėsi aludė, „Katinas ir smuikas". Lukas, kiek pravažiavęs aludę, smarkiai pristabdė ir, nusukęs į šalį, sustojo senovinės išvaizdos bažnyčios, apšviestos nuo žemės galingais prožektoriais, toli nusidriekusiame šešėlyje.

– Suk juostikę! – Lukas kalbėjo be jokio jausmo, tarsi balsą būtų pasiskolinęs iš zombio. – Nutaikyk į aludės duris. Ten jie visi. Visut visi.

Man ėmė sparčiai džiūti burna.

– Ką turi omenyje?

– Stebėti, filmuoti, viską tiesiogiai įrašyti. Štai ką, – Lukas tarė žodžius taip, tarsi perduotų man didžią senovinę paslaptį.

O aš paslapčių tiesiog nepakenčiau. Šiaip ar taip, kitų žmonių paslaptys turėjo labai negerą įprotį užtraukti man bėdą dėl kitų kaltės.

Aludės durys atsidarė, ir į vakaro sutemas griausmingai išsiveržė juoko ir plepalų papliūpa. Paskui stojo trumpa tyla, niekas laukan nėjo, ir pagaliau, tarsi piktų kerų valia, juokdamasis išlingavo Katiliukas ir nužingsniavo vienas į tamsą.

– Štai jis. Čia jis, ar ne? – pasitikslino Lukas, čiupdamas mano ranką.

– Tikrai jis, – pritariau.

Jam ant sprando iš po kepurės nukaręs kuokštas pilkų plaukų trynėsi į žalio tvido švarko apykaklę. Pasijutau užpultas legiono nervingai kikenančių demonų, kada Katiliukas kiek pasvirduliavo keliu tolyn iki gatvelės tarp pašto ir kvadratiško plytinio parduotuvės pastato, kur buvo pardavinėjami ginklai ir meškerės, ir ėmė segtis kelnes, ketindamas pasilengvinti pūslę. Pasižiūrėjo sau už nugaros, į vieną pusę, į kitą, ir manydamas, kad jo niekas nemato, nėrė į gatvelę.

– Tikiuosi, nestos jisai per daug arti sienos, nes dar apsitaškys kelnes! – Luko balsas vėl atgijo, bet akys liko negyvos.

Ir aš nusijuokiau tokiais trumpais, smarkiais, nervingais kriuksniais, kad net kamera man ant peties ėmė šokinėti, tačiau balsas giliai viduje man sakė: „Šok lauk ir eik sau!“

Stengiausi juoktis smarkiau, kad užgožčiau tą balsą, bet jis tik stiprėjo. Nepaisiau jo ir ėmiau juoktis dar garsiau, ir tas balsas nutilo. Lukas juokėsi, ir aš juokiausi, kaip tada, kai Saimonas Bučeris (chuliganas, antrametis, kuris lankė tą pačią pradinę) vijosi mane per gatvę ir žuvo partrenktas juodo fordo „Oriono".

– O ką mes jam darysim? – paklausiau taip, tarsi besirengdamas smagaus anekdoto kulminacijai. Mane taip troškino, kad išdžiūvo burna.

Lukas įjungė degimą, ir variklis atgijo.

– Tik laikyk kamerą nutaikęs į jį!

Katiliukas žingsniavo kiek šonu, susiėmęs už kelnių ir kosėdamas. Jis buvo susigūžęs, tarsi šiurpas būtų ėjęs jam per nugarą, ir pėdino nuokalnia gatvele tolyn. Lukas atleido rankinį stabdį, ir ėmėme riedėti iš paskos. Katiliukas apgirtęs vinguriavo gatvelės viduriu, Lukas važiavo jo link. Ir akimirką Katiliukas pasipainiojo kuo nesėkmingiausiai prie Luko reindžroverio iš vairuotojo pusės. Gatvelės nuolydis tarsi pats traukė mus paskui Katiliuką, ir Lukas ėmė su žodžiais dainuoti tą melodiją, kurią vis niūniuodavo ir švilpaudavo.

Lukas giliai įkvėpė.

– Filmuok jį, Danieliau!

Riedėjom gatvele laisva eiga, girdėjosi vien tik kaip traška padangos ant degutbetonio ir Luko langas slysta žemyn.

Katiliukas, atrodo, nė nenutuokė, kad mes sėliname prie jo. Tikinau save, kad aplinkui nė gyvos dvasios, nors ir kas čia dabar būtų, nieko aplinkui nėra, o kamera stambiu planu filmavo Katiliuką iš užpakalio.

Katiliukas pasisuko, labai pamažu kryptelėjo galvą į Luko balsą, bet jau nespėjo išvengti beisbolo lazdos, kuria Lukas, kuo plačiausiai užsimojęs, trenkė jam per pakaušį. Dunkstelėjo panašiai, kaip kad būtų pats užgesęs kambarinis fejerverkas, ir Katiliukas be dvasios nuvirto ant grindinio. Lukas sustabdė džipą prie dešinio šaligatvio, ištraukė iš mano suglebusių drebančių rankų kamerą ir paliepė:

– Čiupk katiliuką, čiupk katiliuką!

Iššokau laukan ir puoliau strimgalviais į kitą gatvelės pusę, kur prie pat nuvirtusio kūno ritosi katiliukas, sukdamas vis mažesnį ratuką, ir sustojo netoli nuo galvos. Iš gerklės gilumos gurguliavo. Akys, nors buvo plačiai atmerktos, supratau, kad nieko nemato; jis kvėpavo pro burną, tarsi trokštų išretėjusiame ore. Tą garsą pažinojau. Jis buvo prarijęs liežuvį.

Įkišau ranką į burną ir ištraukiau liežuvį. Oras plūstelėjo į gerklę. Paverčiau jį ant šono, kad gulėtų atsigavimo poza. Lukas trumpai pasignalizavo, o jo raginimas: „Čiupk katiliuką, čiupk katiliuką!“ padvelkė slaptu grasinimu.

Paėmiau katiliuką ir rūsčiai pasižiūrėjau į gulintįjį, tarsi į kokį prašalaitį, neturintį jokios teisės čia būti, nepageidaujamą atėjūną iš pačių šiurpiausių sapnų. Ištiesiau į jį ranką, lyg norėdamas vėl paliesti, pasitikrinti, ar neapgauna manęs akys, pažiūrėti, ar jam nieko baisaus! Jo iškvėptas oras padvelkė man į ranką, į kietai sugniaužtą kumštį. Pakėliau akis. Lukas filmavo. Pažvelgiau į vaizdo kameros akį.

– Danieliau, tuoj pat lipk, po velnių, į mašiną!

Paklusau, šokau ant keleivio sėdynės, gniauždamas katiliuką.

Kikenantys demonai gainiojosi vieni kitus visomis mano smegenų gyslelėmis. Lukas išjungė kamerą. Aš atrodžiau kaip paršas po peilio smaigaliu, tik sustingęs, nuo kaklo žemyn sukaustytas kančios ir sukrėtimo. Lukas atkišo man kamerą, pats pasiėmė katiliuką ir prisidėjo prie galvos, ir tuojau nudūmėm sau.

– Verčiau dinkit iš čia, kol nesusilaukėt nemalonumų! – Lukas nepriekaištingai mėgdžiojo Katiliuko balsą, lyg turėtų persodintas jo balso stygas. – Štai mes ir išsiaiškinom!

Balsas skambėjo šiurpiai, lyg išplėštas iš pačios Katiliuko esybės, kaip kokia atskirta odos skiautė, įsiūta Lukui.

Jis staiga pristabdė ir, nė kiek nesijaudindamas, Katiliuko balsu ėmė dainuoti:

– Sudie, Katiliuk, Katiliuk, sudie! – ir šveitė katiliuką pro atidarytą langą į lauką, tarsi svaidomąją lėkštę.

Visai praradau žadą ir susiėmiau rankomis veidą.

– Tau nieko, Danieliau? – Lukas staiga ištarė vėl savo balsu, kaip gerumo pavyzdys, visa širdimi draugiškai susirūpinęs.

– Nebekalbėk tuo balsu.

– Gadina nuotaiką?

– Antgamtiška, siaubinga... – tariau ne tuos žodžius. – Būk geras, nebekalbėk taip. Mane nuo šito krečia šiurpas.

– Oho! Aš geras pamėgdžiotojas, Danieliau, ir tiek, ir atsiprašau, jeigu tau nepatinka. Aš tik norėjau pajuokauti, tave palinksminti.

Išsitraukiau iš maišelio naują skardinę gėrimo, bet drebančiom rankom nelabai įstengiau atidaryti. Kai spaudoma ir badoma skardinė pagaliau atsidarė, ėmiau siurbčioti po mažytį gurkšnelį ir pajutau, kad man galva nuo smegenų vidurio ima byrėti į šalis.

– Nejuokauk šitaip, Lukai!

Jis pakėlė rankas nuo vairo, įspūdingu gestu parodė, kad pasiduoda mano pageidavimams, ir gūžtelėjo pečiais:

– Jau kaip pasakysi, Danieliau, jau kaip pasakysi!

6

Naktinis regėjimas

Greičiau nei per dvi minutes Lukas sustatė vamzdelius ir ištempė smėlio geltonumo palapinės brezentą. Lauke buvome visiškai vieni, mane smaugė kaltės jausmas. Jeigu kas nors dabar būtų mane matęs, tai būtų pasižiūrėjęs man į akis ir išvydęs augančią gėdą. Lukas švilpavo savo mėgstamą melodiją (ir ji dabar jau ėmė mane tiesiog erzinti), tik trumpam nutilo smagiai pareikšti:

– Šita palapinė laikys amžinai. Ji vadinasi „Šiaurinis šlaitas MTN–24“ ir kainuoja 399 svarus. Su šitokia gali kopti į Everestą ar apsiginti nuo uragano, o tesveria ji kaip keturi maišeliai cukraus. – Nutilo. – Na taip, Katiliukui smogti nereikėjo! Atleiskite. Neatsuksiu juk laiko atgal, bet pasižadu šitaip daugiau niekad nebedaryti. Sąžiningiau pasakyti negaliu. Tiesiog jis mane įsiutino. Tiesiog pasidaviau labai negeram postūmiui. Jam keletą dienų paskaudės galvą. Ir viskas!

Gal aš per daug ėmiau į širdį? Gal vikrų pliaukštelėjimą per pakaušį be reikalo supratau kaip sunkų sužalojimą?

Juk į galvą galima gauti įvairiai, o paskui juk ir nieko. Susigūžiau ir palinksėjau:

– Vyrukas gavo, ko nusipelnė!

– Taip, – linktelėjo Lukas. – Na, pabandykim nusnūsti.

Man belendant paskui jį į brangią kupolo formos palapinę, kilo keista fantazija: mudu dvyniai, grįžtantys į įsčias. Jam traukiant užtrauktuką, palengva abu nirome į tą pačią tamsą.

Į mano sapną įslinko skausmas. Nežinia kada tarp vidurnakčio ir aušros pamažu išsibudinau, apsičiupinėjau kūną, galva buvo sunki lyg akmuo, vis labiau mane ėmė nusiminimas. Mano nosis buvo užsikimšusi. Porą kartų giliai įtraukiau oro ir gerklė užako. Kosėjau springdamas lyg sukriošęs mopedas, besistengiantis užsivesti šaltą rytą.

Tačiau tebuvo tik žvarboka kovo naktis, ir šaltis tebuvo vien tik nežymūs šiurpuliukai, nustriksintys kaulais. Ak, man ir sekasi! Šito pabėgus labiausiai ir reikia – gripo ir plaučių uždegimo. Jei dabar būčiau buvęs namie, iš karto būčiau puolęs prie vaistinėlės, užsiplikęs miltukų nuo peršalimo, pasistatęs greta šildytuvą.

– Danieliau! Tau nieko? – staiga Lukas atsisėdo. – Kas atsitiko? – paklausė labai atjausdamas ir susirūpinęs. – Ar tu peršalai, Danieliau? Imk!

Jis puikiai suprato, kas man yra. Ištiesė ranką į tamsą ir atkišo megztinį, kurį buvo susisukęs vietoj pagalvės.

Nors ir jaučiausi tarsi sėdįs šaldytuve, pakaušiu ėmė plisti prakaito plėvelė. Galvos skausmas klaikiai stiprėjo. Paėmiau iš Luko megztinį ir prisispaudžiau prie savęs.

– Jaučiuosi ne per geriausiai.

– Atrodo, kad ne.

Pasisukau visu kūnu, norėdamas atsigulti patogiau, ir pajutau, kad į rankas ir kojas lyg supumpuota gal dešimt pakelių pudingo.

Lukas įjungė žibintuvėlį ir pašvietė man po akimis.

– Tu prakaituoji, – pasakė atsisėdęs gale mano kojų.

Atidžiai mane stebėjo, akimirksniais net labai atidžiai, jo veidu slankiojo šešėliai, galintys atrodyti grėsmingai, jei jis nebūtų šnabždėjęs:

– Nesijaudink, Danieliau!

Maloniausias balsas, kokį kada buvau girdėjęs.

– Aišku, aišku, – jis kalbėjo tarsi su savimi. – Važiuosim į Oksfordą, į viešbutį. Nuvešiu tave ten ryte. Po poros valandų prašvis, nuvažiuosim ten ir užsisakysim numerį.

– Betgi kainuoja pinigus, – atsiliepiau, nors nenorėjau būti niekur kitur, kaip tik patogioje lovoje prie televizoriaus, nes pasijutau šiek tiek geriau. – Tiesiog pagulėsiu čia, šitoj palapinėj, kol praeis.

Atsiguliau ant nugaros, pasikišęs megztinį vietoj pagalvės, ir meldžiau Dievą, kad tik jis man nepritartų.

– O, ne, tu turi pagyventi viešbutyje, kol sergi. Kad ir kaip ten būtų, kaip sakiau, mes ne piniguočiai, bet jeigu su pinigais pasidarys riesta, tai tiesiog pasivogsim.

Buvau per daug nusilpęs ir išsekęs svarstyti, ar jis juokauja, ar ne, tačiau net jeigu jis kalbėjo visiškai rimtai, tai aš per daug jaudinausi dėl savęs, kad dar ko nors paisyčiau. Nuo galvos skausmo akys užsimerkė, bet vis tiek tebejutau įbestą jo žvilgsnį. Atsimerkiau. Jis žiūrėjo į mane, pasišviesdamas žibintuvėliu.

– Nežinau, ar dabar laikas klausti, Danieliau, bet... Ne, paklausiu ryte...

– Varyk, klausk dabar.

– Kodėl tu pabėgai iš namų?

– Nes...

Dėl daug ko, bet ir dėl vieno triuškinamo sumanymo.

– Nes jeigu būčiau likęs namie dar bent dieną, tai būčiau užmušęs motiną – pasmaugęs ar gal netgi dar blogiau.

– Šitaip smarkiai nekentei motinos, – pasakė visai nesistebėdamas.

Linktelėjau, bet staiga iš atminties ėmė plūsti seniai praėję geri laikai namie, ryškūs ir tikroviški, tokie, kad net nepakeliama buvo apie juos galvoti.

– Aš tave suprantu. Esu sprukęs ir pats, kai buvau keturiolikos. Mudu su mamule negalėjom žiūrėti į vienas kitą neurzgę kaip kokie pitbuliai. Vos tik tave išvydęs tada degalinėj, iš karto pagalvojau, kad vyrukas neša padus. Pagalvojau, kad žinau, ką jis jaučia.

– Pajutai man gailestį?

– Ne. Ne visai gailestį. Aš norėjau... Gaila, kad kai pats dėjau į kojas, niekas manęs nesulaikė nuo kelionės į Londoną. Nenoriu, kad ten važiuotum. Šiaip ar taip, aš patenkintas, kad esi su manim. Ir nejaučiu tau jokio gailesčio. Jeigu būtum man nepatikęs, būčiau davęs dešimt svarų ir palinkėjęs geros kloties.

Jo draugiškumas, tarsi kokia fizinė jėga, palietęs mano sielos gelmes, leido man pasijusti stipriau, geriau. Man veidą nušvietė šypsena, negalėjau jos sulaikyti.

– O kas atsitiko? – susidomėjau. – Kas tau ten Londone atsitiko?

– Pasakysiu kada kitą kartą.

Vėjas kilnojo ir šlamino palapinę, o aš jaučiausi saugus, neuždarytas ir ne gyvas palaidotas.

– Danieliau.

– Ką?

– Kas ta Paskalė?

Nebuvau aš jam minėjęs Paskalės. Tiesą sakant, nieko aš jam nebuvau sakęs nei apie namus, nei kaip ten gyvenau, kiek jau ten būčiau prisiminęs. Tyriau jo veidą žibintuvėlio šviesoje ir mačiau akyse klausiamą žvilgsnį.

– Pasakei jos vardą sapnuodamas, naktį. Ir ką tik ištarei vėl. Prieš kokį pusvalandį. Tikriausiai sapnavai, šnekėjai per miegus, vis minėjai Paskalę.

– Paskalę? Daugiausia dėl jos mano tėvai ir išsiskyrė prieš dvejus metus.

– Tėtuko slapta moteriškė?

– Tėtuko slapta moteriškė!

– Ir kaip ji, Danieliau?

– Turi tokius ilgus geltonus plaukus, karančius per nugarą iki juosmens, ir atrodo ji kaip modelis. Kaip kokia iš žurnalo viršelio. Va šitaip vamzdeliu raudonos lūpytės. Kūno linijos tokios, kad dėl jų žmogų užmuštum. Ji tiesiog žavinga. O, tiesa, ir labai protinga. Moka tris kalbas ir dirba kažkokio aukšto rango prancūzų faro asmenine padėjėja. Taip mano tėtis su ja ir susipažino. Jis faras. Na, buvęs faras. Jis viską metė, ir mamą, ir išvažiavo gyventi su Paskale į Paryžių.

– O kaip čia tavo tėtis iš viso važiavo į Prancūziją?

– Jis nuvažiavo pasiimti iš Evertono vieno narkotikų prekeivio, kuris tada buvo Prancūzijoj. Prancūzų farai laikė jį suėmę, kad grąžintų į Angliją. Pasiėmė jis tenai, supranti, ne tik tą narkotinį tipą. Aš iki šiol galvą laužau, ką, po paraliais, tokia pupytė kaip Paskalė veikia su mano tėčiu?!

– O ką? O kas tas tavo tėtis?

– Jis jau žilsta, jis bjaurus, supleškina po keturiasdešimt cigarečių per dieną, net ne turtuolis nei nieko. Net ir muzika, kokią jis mėgsta, nesąmonė – *opera!* Apsaugok, Viešpatie!

– Tikriausiai jis turi ką nors patrauklaus, Danieliau. Tái Paskalei jis turbūt dėl ko nors patinka.

– Bet aš tikrai nesuprantu, ko jinai su juo tokia laiminga, Lukai.

– Tau jis – tėtis, o jai... nelengva paaiškinti, kas dedasi tarp vyro ir moters. Bet ji, matyt, tikra lėlytė.

– Taip, lėlytė, bet mama ją vadina kitaip.

– O kaip mama vadina?

– Atmata, pasileidėle... Gatvine prancūzpalaike, šliundra, prostitute, paleistuve, kekše, šeimų griovike, karve, šlykštyne... prisiplakėle, kalės snukiu, mergpalaike. Vadina tuo šlykščiau, kuo labiau būna įsiutusi. Ir tuo šlykščiau, kuo labiau nusigėrusi. Šiuodu dalykai dažnai neatskiriami.

– Taigi vadina nerimtai, visai negalvodama.

– Taigi.

– O kokia tavo mama?

– Paskalės priešingybė. Kresna, niekuo neypatinga, šiaip moteriškė, dažosi plaukus juodai.

– Vadinasi, kiek šiurkštokai čia išėjo su tavo mama.

Nepatikėjau savo ausimis. Rūgščiai nusijuokiau ir papurčiau galvą.

– Ne. O, ne, ne, ne! Ne, Lukai. Tik šito... ir laukia, kaip tik tą jinai ir norėtų girdėti, kad kaip tik šitaip jai visi ir sakytų. Porą metų vaizdavo visiems nukentėjėlę ir troško, kad visi jos gailėtų. Didžioji nukentėjėlė. Namie ji arba sėdinėja be darbo ir nieko nešneka, arba deda tėtį su Paskale į šuns dienas ir siautėja dėl smulkmenų. Dažniausiai nė nežinodavau, kokią ją vakare parėjęs rasiu. Nusiminusią ar pasiutusią, ar viską iš karto. Bet žinai, ką pasakysiu,

Lukai, aš priėjau tokią ribą, kai man pradėjo neberūpėti, ką ten namie rasiu. Man tiesiog nusibodo. Tas spektaklis pasidarė tiesiog nebepakenčiamas. Taigi kai jie mane pakvietė į Paryžių...

– Kada pakvietė?

– Praeitą vasarą. Nuvažiavau ir gyvenau pas juos savaitę. Ten buvo nuostabu. Jie daug juokiasi. Prie stalo kalbasi, o ne šaukia. Jie visur keliauja!

Nutilau ir atsidusau, staiga pajutęs karštį ir negerumą, bet kartu jutau turįs kalbėti toliau. Turėjau išdėti viską, kaip ten buvo, net tikrai didelę paslaptį apie savo tėvų nesantaikos esmę, tą paslaptį, kurią, kaip prisiekiau mamai, nusinešiu į kapus.

– Su tavo mama pasielgta negražiai, Danieliau, ir, na, gal ji nelengvai tą pakelia. Ar galima ją smerkti?

– Klausyk, Lukai, noriu tau atskleisti paslaptį apie savo mamą. Ji ir pati turėjo romaną. Nežinau, kas tas tipas buvo iš tikrųjų, bet iš išvaizdos labai priminė dainininką Briusą Springstiną!

Lukas pratrūko juoktis:

– Briusą Springstiną?!

Jis pamatė, kaip supykau dėl šito jo protrūkio. Atsiprašė ir vėl nutilo.

– Kartą prieš trejus metus aš anksti grįžau iš mokyklos ir juos užklupau. Viešpatie, koks buvo siaubas, tikras košmaras. Jie negirdėjo, kaip įėjau į namus. Jie buvo vonioj! Ji privertė mane prisiekti, kad niekam nepasakysiu. Tai aš ir nesakiau, niekam, iki šiol. Nepasakiau net ir tėčiui. Tu, Lukai, vienintelis žmogus, kuriam pasakiau.

Sugrįžo anų laikų šleikštulys, kai prisiminiau, kaip atidariau vonios kambario duris. Tik per keletą mėnesių sugebėjau ištrinti iš atminties ryškesnes tos dienos detales, bet patirtas didžiulis sukrėtimas vis dar galėjo trenkti smūgį iš pasalų.

– Taigi ne, – dėsčiau toliau, – kai jau mama užsiveda apie tėtį su Paskale, kas jie esą ir kas ne, tai aš tikrai jos neužjaučiu.

Palapinėje įsiviešpatavo sunki tyla, jaučiausi vis silpnesnis ir nebegalįs pasakoti toliau. Staiga ėmiau trokšti ramaus miego ir išganingos tylos dunksinčiai galvai.

– O ko važiavai į Londoną? – parūpo Lukui. – Ko ne į Paryžių?

– Nes jie ten laimingi ir be manęs. Jiems manęs nereikia. Aš tik sugriaučiau jų laimę.

Stojusią nejaukią tylą stiprino ankšta erdvė. Tik pagaliau Lukas ją nutraukė:

– Išklausęs tavo pasakojimą, stebiuosi, kad mama tau leido per atostogas važiuoti į Paryžių, Danieliau.

– Ji neturėjo kaip neleisti.

– Ką tu nori pasakyti? – nesuprato Lukas.

– Na, jeigu būtų neleidus, aš galėjau visiems pasakyti apie jos *o lia lia* su Briusu Springstinu.

– Suprantu, kodėl palikai namus, – pasakė guldamas ir gesindamas žibintuvėlį. – Labanakt, Danieliau!

Klausiausi, kaip šiugžda nailonas jam verčiantis ant šono miegmaišyje ir įsitaisant kiek įmanoma patogiau ant kietos žemės. Galvojau, ar gerai pasielgiau, kad atskleidžiau jam paslaptį. „Visai nesvarbu, – tariau sau, – dabar tas visai nebesvarbu.“ Gulėjau. Geliančiu stuburu nusiritus menkučiam rūgštaus prakaito lašeliui, visa nugara sušiurkštėjo nuo šimtų tūkstančių elektrinių šiurpuliukų.

7

Gaisras

Sapnavau gaisrą. Siūbuojančių javų lauką, nuostabią vasaros dieną, apimamą liepsnų. Sapnavau liepsnų bangą, šokančią į žydrą lyg iš paveikslėlio dangų ir besiritančią žeme, ryjančią, kiek tik apžioja. Mintanti javais ugnies banga kas akimirką stiprėjo, smarkėjo ir visu greičiu lėkė į mane. Stovėjau kaip įbestas pačiame javų lauko viduryje, pririštas prie įkalto į žemę kuolo ir apvilktas skarmalais. Pirmas mane pasiekęs liepsnos liežuvis lyžtelėjo nukarusį nuo skarmaluotų kelnių krašto šiaudą, o aukštai danguje suko ratus juodas kaip degutas blizgantis kranklys ir karksėjo man: „Kaliause! Kaliause!" Aš sušukau, tačiau be garso, sukaustyta ir sustingusia burna, mano riksmai buvo visiškai tylūs ir teskambėjo šiaudinės baidyklės širdyje.

Sapnavau tesąs vien tik simboliškai sudeginamo žmogaus imitacija, apgobta troškių tirštų juodų dūmų...

Dūmai... dūmai su rytmečio šviesa įslinko į palapinę pro prasegtą tarpą.

– Lukai! – vos išlemenau.

Per kelias neramaus miego valandas virusas galutinai užvaldė kūną. Dūmai raitėsi, sukosi ir lindo man į degančią burną. Šliaužiau prie išėjimo, krenkščiodamas siaubingai tarsi kapinių šmėkla. Luko miegmaišis palapinės kampe styrojo kaip kreivas kupstas. Staiga išsigandau, ką aš pamatysiu lauke, tačiau baimė likti įkalintam degančioje palapinėje vertė išsekusį kūną ristis laukan į rytmečio saulės šviesą.

Kartūs dūmai sklido nuo laužo, nuo nediduko lauželio čia pat tarp palapinės ir reindžroverio. Lukas gūžėsi virš ugnies, baksnojo laužą lenktu pagaliu ir kėlė iš smilkstančių jo vidurių kamuolius dūmų. Užsispaudžiau burną ir nosį, kol pro mane praslinko stulpas dūmų, ir likau stebėti iš saugaus atstumo.

– Kaip jautiesi? – paklausė Lukas.

Neatsakiau. Jis atsigręžo ir per petį pasižiūrėjo.

– Atrodai siaubingai, Danieliau, bet nieko baisaus, ar ne, jau greitai būsi sveikas gyvas, apkamšytas, iki mums... – vėl ėmėsi laužo, tirdamas jį lyg abejingu žvilgsniu.

Nušlubčiojau basas nelygia žeme ir sustojau prie jo nesuprasdamas, ką jis degina. Uoslės buvau netekęs, tačiau dūmai buvo tiršti ir tamsūs, kažko labai nemalonūs. Atrodė, kad degina kažkokią sunkią antklodę ar ką, bet viskas jau taip apanglėjo, kad nebegalėjai pasakyti, kas čia iš tikrųjų buvo. Lukas laikė rankoje metalinį benzino kanistrą. Statomas ant žemės, šis tyliai, tvirtai bumbtelėjo kaip tuščiaviduris skardinis būgnas. Lukas tarsi meldėsi.

– Ką degini? – pasidomėjau kimiu balsu.

Jis, toliau žiūrėdamas į gęstantį laužą, ne į mane, atsakė:

– Pameni, viešbuty, kai sėdėjom prie stalo ir laukėm, kol atneš valgyti, kalbėjomės apie mėsą. Aš lyg ir perskaičiau tavo mintis, Danieliau, bent jau pastebėjau, kaip tu pažvelgei į mano odinę striukę, kada pamokslavau apie mėsą, kodėl ją valgyti negerai. Smerkiau valgančius gyvulį, pats apsitaisęs gyvulio oda. Tu mane sugėdinai, Danieliau!

„Ak, liaukis, – pagalvojau, – niekas juk nėra nė musės nenuskriaudęs!" Bet patylėjau.

– Žinoma, tu teisus. Neištarei nė žodžio, tačiau aš buvau veidmainys, visiškas veidmainys, mėsos nevalgantis, bet vaikštinėjantis su brangia odine striuke. Taigi va kodėl deginu savo striukelę, tris šimtus svarų atsiėjusią striukę, pasiūtą iš vargšo paskersto gyvulio odos.

Pagalvojau, kad tarsi sako maldą, tarsi kremuoja mirusįjį. Kai atsistojo visu ūgiu ir stovėjo greta manęs, atidžiai įsižiūrėjau ir nustebau, koks jis švelnus ir koks geraširdis. Jis neatitraukė akių nuo raudančios liepsnos, lyg žindomą kūdikį prisispaudęs prie širdies benzino kanistrą.

– Aš buvau pats... bukiausias veidmainys ir noriu tau padėkoti, Danieliau, kad nurodei mano klaidą. Šįryt padariau mudviem didelę paslaugą. Sudeginau savo odinę striukę ir tavo zomšinį švarką.

– Viešpatie! – teištariau tyliai ir nesupratau, išgirdo jis ar ne, tačiau tikrai nė neketino atsiliepti. Iš mano zomšinio švarko, mano dailiojo zomšinio švarko, dėl kurio šitiek dirbau, šitaip ilgai plušėjau, vėjyje, šaltyje ir lietuje, kiekvieną ankstyvą rytą, tarp pasiutusių šunų ir burbančių pensininkų, beliko vien tik pelenai ir dulkės, vien tik anglys ir bedvasiai suodžiai. Paskutinį kartą jį mačiau, kai numečiau ant užpakalinės sėdynės prie jo striukės.

Jis man šypsojosi – pastebėjau akies krašteliu, – bet neįstengiau prisiversti į jį pažvelgti. Tai buvo tarsi atpažinti sudarkytus kadaise nuostabaus ir labai mylėto draugo palaikus.

– Danieliau, kitaip nebuvo įmanoma. Dėl mūsų abiejų. Suprantu, kaip tau patiko nešioti tą zomšinį švarką. Patikėk, ir man tikrai patiko maniškė striukė, tačiau kartais reikia iškilti virš savo norų.

Pažvelgė man tiesiai į akis, bemaž įsirėmė veidu. Tiesiog privertė mane žiūrėti jam į akis, ir tiek.

– Ta lapė turėjo kailį. Ta, kur matėm, kaip ją sumedžiojo ir pribaigė, turėjo kailį. Žmonėms atrodo, kad nešioti lapės kailį nieko blogo! O koks skirtumas tarp tos lapės ir karvės, kuriai nudirta oda?

Labai sunkiai prabilau:

– Galėjai manęs atsiklausti.

– Tu miegojai.

– Ko nepažadinai?

– Negerai jautiesi.

– Na, vis tiek reikėjo pažadinti.

– Turėjau pasinaudoti proga. Suprask, man tikrai nebuvo lengva. Man nuostolis nė kiek ne mažesnis nei tau. Netgi didesnis. Bet laužą užkūriau aš. Kitaip nebuvo įmanoma, Danieliau. Jei... jei nebūčiau dabar šito padaręs, vargu ar bebūčiau kada kitą kartą ištekęs šitam jėgų. Vadinasi, abudu būtume taip ir slankioję apsikarstę mirusiųjų odomis.

Jo akys gręžte gręžė manąsias, laukė bent menkiausio mano smegenų virptelėjimo, primygtinai reikalaudamos suprasti vien tik taip, o ne kitaip, vien tik kaip supranta jis. Laužas po kojomis jau blėso, ir aš supratau praradęs tik švarką, vienintelį drabužį. Ne ranką ir ne koją, ne savo gyvenimą ir ne laisvę... ne tai, ką dėl to švarko prarado kuris nors gyvulys, ne gyvybę, kurios toji lapė vakar neteko dėl medžiotojų pasitenkinimo. Ar gyvūnai turi kokį pasirinkimą? Jei ir toliau būčiau nešiojęs savo zomšinį švarką, kuo gi būčiau skyręsis nuo medžiotojų?

– Manau, – sakau jam, – tu padarei teisingai.

– Taip, teisingai. Ar ne?

Jis iš karto nušvito ir patapšnojo man per pečius. Nusijuokė žėrinčiomis akimis.

– Mudu būtume nė kiek ne geresni už raudonšvarkius, jei vaikštinėtume apsikarstę odomis ir zomšomis.

– Ką tik šitaip ir pagalvojau. Panašiai.

– Didžiosios mintys visų panašios, Danieliau! Veidmainys buvai ir tu, bet dabar jau tvarka.

Galva man sukosi ratu lyg kompiuteriniame žaidime su specialiaisiais efektais, ir atrodė, kad tuoj sprogs.

– Mes tuoj viską susikrausim ir gabensim tave į viešbutį. Kuo greičiau, tuo geriau.

Palikęs kremacijos apeigas, Lukas ėmėsi palapinės. Pripuolęs pradėjo dėlioti sparčiais ir užtikrintais veiksmais. Aš slapčia pasižiūrėjau į pelenus ir prisiminiau, kaip puikiai mano švarkas man tiko ir kokios susiglamžiusios buvo ties alkūnėmis rankovės. Prisiminiau, koks buvo šiltas ir, kai pastatydavau apykaklę, kai užtraukdavau užtrauktuką ir užsisegiodavau krūtinę, kokiu pasijusdavau kietu frantu su neperšaunama liemene.

Nuo lengvo dūmelio graužė akis ir peršėjo gerklę. Tenorėjau apsiauti sportbačius ir nešdintis iš šito lauko. Nusekiau paskui Luką prie palapinės. Jis ją, jau sudėtą ir surištą, laikė rankose.

Labai meiliai nusišypsojo ir tarė:

– Eime, dabar imsimės tavęs, Danieliau!

Atsisėdau ant drėgnos, rasotos žolės apsiauti sportbačių.

Jam derėjo pirmiausia atsiklausti manęs. Juk jis privalėjo.

8

Sveika gyvensena

„Kelinta valanda?“ atsimerkiau ir įsistebeilijau į atsiradusias virš manęs lubas. Prabangiame kondicionuojamo viešbučio kambaryje su dūminio stiklo langu neįmanoma buvo suprasti, diena dabar ar naktis. Pakėliau galvą ir pažvelgiau už lovūgalio. Lukas sėdėjo ant kėdės, kaip sėdėdavo kas rytą, kai atsibusdavau, ir skaitė knygą.

– Lukai, kelinta valanda? – mano balsas buvo grynesnis, tvirtesnis.

Jis padėjo knygą ir nusišypsojo.

– Mes vėl gyvųjų pasaulyje, a?

Jaučiausi išsekęs, tarsi būčiau buvęs pakartas, prigirdytas vandeny, ketvirčiuotas ir vėl sumegztas virbalais ir suraišiotas senais virvagaliais, bet savijauta buvo kur kas geresnė.

– Tu tarpais vis įmigdavai ištisas dvi dienas ir naktis.

– Kelinta dabar valanda?

– Greit vidunaktis. Rytoj penktadienis!

Praradau keturiasdešimt aštuonias savo gyvenimo valandas. Kai tik nubusdavau, Lukas duodavo gurkštelėti ledinio vandens ir šlapiais rankšluosčiais apšluostydavo veidą ir visą galvą. Regėjau haliucinacijų. Kambario sienos atrodė tarsi kvėpuojančios, lubos suposi pirmyn ir atgal kaip ramios vandenyno bangos ir tegirdėjau vien tik raminantį mane Luko balsą.

– Tau buvo tikrai sunkus priepuolis, Danieliau. Turėsi ramiai išsigulėti, kol pasitaisysi. Pabūsim čia dar kelias dienas.

– Bet kaipgi su pinigais?!

– Dėl pinigų nesijaudink. Tu alkanas?

Tikrai buvau labai alkanas. Lukas paėmė telefono ragelį, ir po dešimties minučių kažkas pabeldė į duris. Atnešė daržovių sriubos su bandelėmis.

Kai pasėmiau pirmą šaukštą sriubos, Lukas atsisėdo prie manęs ant lovos. Mano ranka drebėjo ir, keldamas sriubą prie burnos, išpyliau ant padėklo. Jis paėmė iš manęs šaukštą ir ėmė pamažu, rūpestingai samstyti sriubą ir kišti man prie lūpų. Padarė pertrauką ir į dubenėlį prilaužė duonos.

– Nesijaudink, – ramino mane, kantriai maitindamas.

Turėjau pripažinti, kad niekas nebuvo manimi šitaip rūpinęsis po tymų priepuolio vaikystėje. Mane kankino nepaprastas troškulys. Lukas, nė žodžio neištaręs, nuėjo į bariuką, atnešė butelį neputojančio mineralinio vandens ir įpylė į stiklinę. Kol gėriau, prilaikė man ranką savąja ir pasakė:

– Siurbčiok, Danieliau, negerk labai greitai. Siurbčiok labai pamažu.

Pataisė man pagalvę, ir aš vėl nugrimzdau į ją išsekęs.

– Ačiū, Lukai, ačiū.

Mano žvilgsnis nukrypo į telefoną prie lovos. Pagalvojau, jog reikėtų paskambinti namo ir pranešti, kad jaučiuosi geriau. Tarp visų kilusių minčių ši buvo kaip nekviesta ir visai nepageidauta viešnia, tai aš jos ir nepaisiau, vildamasis, kad ji tą supras ir tylomis pasišalins. Tačiau nepasišalino, delsė.

– Juk nėra prasmės, – suvapėjau pats sau.

– Dėl ko nėra prasmės? – sukluso mano draugas.

– Skambinti namo ir pasakyti mamai, kad man jau geriau. Juk nė nežino, kad susirgau... Ką tu ten skaitai? – pasiteiravau, norėdamas kuo greičiau nukreipti kalbą.

Jis man abejingai parodė viršelį su pavaizduota jame laiminga šeima ir antrašte „Iliustruota šeimos medicinos enciklopedija" ir nusuko akis į šalį, lyg vengtų žiūrėti į mane. Pajutau keistą nerimą.

– Kas yra, Lukai?

– Tik nesijaudink, Danieliau. Tu nesijaudinsi, gerai?

– Nežinau. O dėl ko? Ko aš turėčiau jaudintis?

– Tik nepasiusk...

– Nepasiusiu, – atkartojau, o siaubukas jau sėlino artyn tarsi koks dešimtkojis padaras.

– Klausyk, Danieliau, pasakysiu tau tiesiai šviesiai.

Jau neabejojau, kad tuojau jis man trenks kaip griaustinis iš giedro dangaus.

– Ką tu padarei, Lukai? Kas yra?

– Nieko nėra. Būk malonus, paklausyk. – Lukas staigiu mostu parodė į telefoną. – Aš paskambinau tavo motinai. Pasakiau jai, kad tau viskas gerai!

– Kodėl? – stumtelėjau nuo savęs padėklą.

Lukas, netaręs nė žodžio, nukėlė jį šalin.

– Pasakiau jai, kad tu saugus ir... na, kad tau viskas gerai.

– Kodėl, Lukai?

Padėjo padėklą ir atsirėmė į kambario kampe stovinčio plataus stalo kraštą. Susinėrė rankas ir tylėjo.

– Na, ir ką ji pasakė? – pasistengiau nutaisyti kuo abejingesnį balsą.

Akimirką Lukas vėl niūniavo tą savo melodiją, iš pat gerklės gelmių, tarsi visai manęs nesiklausytų.

– Tai ar pasakė ji ką nors? – vėl pabandžiau išklausti.

– Ji paklausė, ar grįši namo. Pasakiau, kad tavo sprendimas buvo rimtas.

– Ar ji paklausė, kas tu esi?

– Pasakiau, kad draugas.

– Taip, jau namo tai aš tikrai negrįšiu. Nieku gyvu. Ar ji dar ką nors sakė?

– Taip.

– Ką sakė, Lukai?

– Pasakė, kad jei grįžtum namo, tai galėtumėt ramiai apie viską pasikalbėti. Pasakė, kad jei kas negerai, tai juk įmanoma viską išsiaiškinti. Sakė, kad pabandytų viską pataisyti ir viskas būtų kitaip. Sakė apgailestaujanti, jei padarė ką nors tokio, kad turėjai išeiti iš namų. Sakė, tikisi, kad tau viskas gerai. Sakė, kad tave myli ir, jei pareitum namo, tai sutvarkytų visus reikalus dėl mokyklos. Prašė tau pasakyti... kad nedarytum nieko, kas pavojinga ar kas tau pakenktų. Ji kalbėjo gražiai. Verkė.

Kad mama būna ir šitokia, jau bemaž buvau pamiršęs, nes jau taip seniai negirdėjau jos taip kalbant. Verkė? Tikriausiai koks velniūkštis dabar bandė palenkti Luką į jos pusę.

– Na, o kodėl ji šitaip nešnekėjo, kai aš sėdėjau namie? Tik kas, tuoj ugnim svaidytis, tiesiog dėl to, kad ji nuolatinė bambeklė.

– Aš tik perduodu, ką ji sakė, Danieliau.

– Pirmiausia tai tau nederėjo skambinti. Kokia kvailystė!

– Oi, bet juk turėjau! – jo balsas, lyg botagu perlietas, sutrūkčiojo, veidas staiga apsiniaukė.

Jis įsikibo į stalo kraštą, lyg stengdamasis sutramdyti rankas ir nepadaryti ko nors pragaištingo.

– *Kvailystė?* Nedrįsk man šitaip sakyti! Supratai?

– Atleisk, Lukai, aš nenorėjau!

Aš nei melavau, nei atsiprašinėjau lengva širdimi. Jis giliai įkvėpė, ir mudu sėdėjom tylomis, kol jis apsiramino. O kai pravėriau burną kalbėti, pakėlė ranką ir mane nutildė.

– Aš turėjau paskambinti į tavo namus, Danieliau. Man reikėjo susižinoti, ar tau duodama kokių vaistų.

– Vaistų?!

– Taip, vaistų. Suprask, išsigandau. Nežinojau, ką daryti. Juk tave vakar pavakare ištiko priepuolis.

Jo akys tyrinėjo manąsias. Jis sėdėjo lovos gale, ir iš jo minos aiškiai supratau, kad sako tiesą. Mane giliai persmelkė panašus jausmas kaip tą pavakarę, kai grįžęs iš mokyklos sužinojau, kad su tėčiu viskas baigta, sumišęs su kitu jausmu, kai mane sučiupo vagiantį kompaktų parduotuvėje. Bet dabar buvo kiek baisiau.

– Bet aš gyvenime nesu turėjęs priepuolio. Niekam iš mano giminaičių priepuolių nebūna.

Kas akimirką jaučiausi vis prasčiau. Priepuolis?! Juk priepuoliai ištinka psichikos ligonius ir apgailėtinus keistuolius, kurie gyvena visuomeniniuose parkuose ir šnekasi su įsivaizduojamais gyvūnais. Juk aš visai ne iš tokių, kad man būtų priepuolių.

– Esu matęs, kaip autobuse priepuolis ištiko moteriškę ir niekas nežinojo, ką daryti. Nė nežinojo, ar žiūrėti į ją, ar pro langą. Vienas tipas prisėdo prie jos ant grindų, pasidėjo jos galvą sau ant kelių ir laikė, kol jai praėjo. Ji būtų susidaužiusi galvą į sėdynės kraštą. Tarp mano giminaičių epileptikų nėra.

– Žinau. Tavo mama man sakė. Tavo mama kiek įsiaudrino, kai paklausiau, ar nesergi epilepsija. Pasakiau, kad nesijaudintų, kad tau tik bjaurus gripas.

– Kaipgi ji nesijaudins, jaudinasi dėl visko, susijaudina net ir dėl to, kad neturi ko jaudintis. O kas buvo, kai aš?..

– Kai ištiko priepuolis? Vakar pavakare tu tiesiog gulėjai lovoj ir... tarsi pabudai ir... – pliaukštelėjo pirštais. – Užgesai lyg švieselė, rankos ir kojos ėmė kratytis, iš burnos pasirodė šiek tiek putų.

Užsidengiau rankomis veidą.

– Tu per daug imi į širdį, Danieliau. Su epilepsija susitvarkoma. Tai nereiškia, kad tu psichiškai nesveikas, Britanijoj epileptikų pusė milijono ir... Šitas priepuolis galėjo būti vienintelis, kilęs dėl streso...

„Kas gi bus toliau? – ėmiau spėlioti. – Kas dar manęs tyko?"

– Lukai! Lukai, tu niekam nesakysi, ar ne?

– Žinoma, kad ne. Bet tu privalai nueiti pas gydytoją. Kaip supranti, reikia palaikyti sveikatą vaistais. Jeigu tu epileptikas. Kai tik atsistosi ant kojų. Reikia pasitikrinti. Prižadi?

– Aišku, taip, žinoma!

Jis man padavė medicinos knygą, atvertęs „E" raidę, puslapį su „Epilepsija". Aš tai jau buvau skaitęs bibliotekoj prie namų. Tiesą sakant, skaitęs tiek kartų, kad galėjau pakartoti beveik žodis žodin, visą atmintinai. Kai pamačiau tos moteriškės priepuolį autobuse, tai ištyrinėjau, kiek tik įstengiau, visus savo artimuosius. Oi, kaip man palengvėjo, koks nepaprastai patenkintas buvau, kai neaptikau jokių požymių.

– Danieliau, tau visai nėra nei ko bijoti, nei gėdytis.

Tačiau lengva jam buvo postringauti.

– Suprantama, bet tu niekam nesakysi, ar ne, Lukai?

* * *

Lukui tipenant pirštų galais iš kambario ir tylut tylutėliai darant duris, kaipmat pabudau iš kuo neramiausio snaudulio.

– Kur tu eini? – atsisėdau.

– Einu parduoti reindžroverio.

– Ką?!

Išgirdau kuo puikiausiai, bet negalėjau patikėti.

– Nebeturiu pinigų. Kambarys kainuoja po šimtą už parą, neskaitant maisto.

– Mes čia nebūtume, jeigu ne aš! – pasakiau apžvelgdamas kambarį. – Ne, palauk, Lukai. Gal aš galėčiau ką nors?..

– Apiplėšti gyvenamųjų namų statybos kooperatyvą! – nusijuokė. – Klausyk, tu nesijaudink. Pirkti tokią mašiną buvo beprotybė. Sukišau visą kompensaciją. Tikrai reikėjo įsigyti ką nors ekonomiškesnio.

– Lukai... Už ką tu gavai kompensaciją?

– Skyrė Kriminalinės žalos komisija.

Iš jo gestų ir mimikos mačiau, kaip nekantrauja išeiti iš kambario.

– Kuo greičiau sutvarkysiu, tuo greičiau turėsim pinigų. Greitai grįšiu, Danieliau.

Kai tik jis išėjo, mano mintys tuojau nukeliavo tiesiai namo į Liverpulį. Patiko man klausytis jo pasakojimo, kaip jis paskambino mamai. Taigi ji nori, kad grįžčiau namo ir viską sutvarkytume, ar ne? Šitaip dėsto ta pati moteriškė, kuri vos prieš savaitę man nė nešyptelėjusi pareiškė: „Jeigu turėčiau pinigų, Danai, nupirkčiau tau bilietą į Australiją į vieną pusę. O ką, gal oro linijos parduos man išsimokėtinai?" Karčią tiesą jutau širdimi: aš jai buvau beviltiškas, tuščiai žemę minantis padaras.

Pažvelgiau į telefoną ir tiesiog nesąmoningai staiga pajutau laikąs rankoje ragelį. Prisispaudęs prie ausies, jau rinkau 0151 – Liverpulio telefono kodą. Sustingau: ką pasakysiu? Kas bus tas bus, nesitrauksiu. Nieku gyvu. Surinkau 428. Nors kokia gi prasmė rinkti toliau. Juk jos galbūt nė namie nėra. Spustelėjau dar tris skaičius, ir smilius suvirpėjo ties paskutiniu – aštuonetu.

Net jeigu ir atsilieptų, man nereikia kalbėti, tiesiog turiu kuo ilgiau klausytis jos balso ir suprasti, kad ji sveika gyva. Nežinau, kas nukreipė mano mintis, bet pagalvojau, kad ten, kur jos įstaiga, restoranas Prieplaukos Gale, ten naktį aplinkui tamsu. Tamsu ir pavojinga...

Pradėjo gausti ilgi jungimo signalai. Sustiprėję širdies dūžiai aidėjo iškreipiamo garso kameroje. Baigėsi pirmas signalas. Klausiausi. Dar nesuskambus antrajam, ragelis buvo nukeltas.

– Klausau, klausau...

Atsiliepė ji. Išvargusiu, truputį drebančiu, bet tikrai ne paklaikusiu iš nerimo balsu.

– Danai, ar čia tu? Danai, tik pasakyk, ar čia tu, pasakyk, ar tau viskas gerai. Meldžiu.

Lėtai padėjau ragelį ant svirtelės, nutraukdamas ryšį. Nelinkėjau aš jai nieko blogo, telinkėjau tik gero, tačiau tarp mūsų per daug buvo prisikaupę pykčio. Žiūrėjau į nebylų ragelį ir šnabždėjau:

– Taip, čia aš. Man viskas gerai. Ačiū.

* * *

Viešbučio numeryje buvo vonios kambarys ir plačiaekranis televizorius. Kai palikau namus, tai buvau net primiršęs, kad būna tokių dalykų. Kai įsijungiau televizorių, tai lyg atsidariau kokias duris ir išvydau besišypsantį seniai nematyto draugo veidą. „Sezamo gatvė“. Spaudinėjau kanalus, rodė muilo operas, įžymybių interviu, senus filmus, palydovines naujienas... Visai nieko man tinkamo, tai vėl įjungiau „Sezamo gatvę“, bet jau bėgo baigiamieji titrai, todėl nuėjau į vonią praustis. Vonios kambarys kaip filme: švarutėlis, visko pridėliota – muilų, gelių, pudrų ir tepaliukų, pūkuotų rankšluosčių – viskas suderinta, chromu žėrintys čiaupai, švytinti balta vonia. Kambarėlis tiesiog nepriekaištingas.

Išvydau savo atspindį plačiame kvadratiniame veidrodyje ant sienos virš vonios. „Čia juk tik sapnai, čia juk ne sapnai...“ Pažįstama frazė nuskambėjo iš veikiančio už durų televizoriaus, atsklidusi į vonios kambarį per dvejetą čia įmontuotų garsiakalbių. Žiūrėjau į veidrodį. Vaizdas ne iš gražiausių. Mano plaukai susivėlę, šitiek ant jų miegojus, kaktą teršia ruožas bjaurių spuogų. Akys nugrimzdusios į tamsias daubas. Ir šiaip mano veidas neišvaizdus. O dabar buvo tapęs dar ir šiurkštus. Ir mane buvo ištikęs priepuolis.

Atsisėdau ant vonios krašto, kad nematyčiau savo atvaizdo veidrodyje, ir atsukau čiaupus televizoriaus garsui užslopinti. Nes ėmė labai žeisti. Dabar aš buvau toks, kuriam būna priepuolių, ir veikiai galėjau tapti tokiu, kurį ištinka priepuoliai žmonių akivaizdoje, gal autobuse, gal aptarnaujamą prie prekystalio „Makdonaldse", o gal įžengusį į žmonių pilną kambarį. Jie sutrikę nuščiūtų, kai aš blaškyčiausi ir raityčiausi ant kilimu išklotų grindų.

Žvilgtelėjau per petį ir išvydau per televiziją rodomas žinias, vietos naujienų santrauką. Žodžių negirdėjau, bet mačiau diktorę, kaip judina burną skaitydama iš telesuflerio. Nuobodybė.

Radau tūbelę maudymosi putų ir išspaudžiau gardžiakvapio gelio į sūkuriuojantį vandenį, tiršto putojančio rožių aromato skysčio į krintančią srovę. Pasižiūrėjau į veidrodį ir televizijos ekrane išvydau tokį vaizdą, kad net nutirpo galva, rankos ir kojos.

Iš ekrano žvelgė Katiliukas.

Žaibiškai užsukau čiaupus, nenuleisdamas akių nuo vaizdo veidrodyje, o Katiliukas tartum kiaurai vėrė mane žvilgsniu. Vandeniui tebesisūpuojant ir sukantis, iš garsiakalbių pasigirdo diktoriaus balsas.

– Džordžui Parkinsonui tebėra koma. Policija laukia prie lovos, norėdama jį apklausti, ir tebesitiki gauti parodymų iš dviejų jaunuolių, susijusių su užpuolimu.

Skubiai žengiau į vonią, į nepakeliamą karštį, ir nusiploviau kiekvieną odos plotelį, kur tik pasiekiau su nemokamu šepečiu ir muilu, besistengdamas nugrandyti ir nuplikyti nuo savo kūno nusikaltimą.

Katiliukas – taigi iš tikrųjų jis Džordžas Parkinsonas – dingo iš televizijos ekrano, tačiau jo akys tarsi tebežiūrėjo, atsispindėdamos vonios veidrodyje, žvilgėdamos čiaupų chrome, nenukrypdamos nuo manęs, verdamos mane kiaurai, kaltindamos!

Man jau belipant iš vonios, į kambarį grįžo Lukas, linksmas kaip niekad.

– Eikš čia, Danieliau, turiu tau naujienų.

Aš, visas šlapias, susisupęs į rankšluosčius, iškišau galvą pro vonios kambario duris.

Lukas švystelėjo ant savo lovos naujus automobilio raktelius ir voką su banknotais. Pasitrynė rankas ir nusišypsojo.

– Kas nutiko, Danieliau?

– Naujienų turiu ir aš. Įsitverk sienos, Lukai.

9

Ir vėl kelyje

Lukas apie komos būklės Katiliuką viską žinojo. Matė per žinias, kai aš gulėjau visai išsekęs. Kai pasakiau, ką matęs, ir man iš baimės net ėmė drebėti galva, jis ramiai klausėsi išsiviepęs.

– Jeigu tas dėdė mirs, tai čia bus žmogžudystė, – pareiškiau.

– Žmogžudystė, – sukikeno.

– Ir kas čia juokingo?! Gal malonėtum mane apšviesti?

– Dėl žmogžudystės tai tikrai nieko juokingo. Tik dėl tavęs, kad puoli į paniką tarsi bobulė, o apsitaisęs kaip koks romėnų imperatorius. Čia tai tikrai juokinga.

– Ieško dviejų jaunuolių.

– Taigi paieškos ratas susiaurėja tikriausiai iki kelių šimtų tūkstančių.

– O ką, jeigu kas nors mus matė? Tikriausiai kas nors bus matęs.

Garsiai dėsčiau savo samprotavimus, žodžiai atsimušinėjo nuo kambario sienų ir pliaukšėjo man į veidą ir galvą, o Lukas užgniaužė ilgą lėtą žiovulį.

– Niekas mūsų nematė.

– Ko tu toks tikras?

– Tamsu buvo, gatvė tuščia, ir visas reikalas tetruko vos kokias dvidešimt sekundžių.

– Neatrodo, kad dvidešimt sekundžių, atrodo, kad truko kokias...

Nežinau. Vienaip žiūrint, atrodo, kad praslinko ištisa valanda, o kitaip žiūrint, – gal vos penkiolika sekundžių.

– Paklausyk, ką aš turiu galvoje, Danieliau. Tu buvai tekšteltas į patį įvykių sūkurį, todėl ir nespėjai susigaudyti, kas ir kaip. Farai nieko neatkapstys. Patikėk manim. O jeigu – ir tik milžiniškas *jeigu* – mus ir pričiuptų, tai aš prisiimsiu visą atsakomybę. Paaiškinsiu, kaip viskas įvyko. Čia tebuvo pokštas, tik šiek tiek perlenktas, o tu niekuo dėtas. Už viską atsakysiu aš!

Šitaip kalbėdamas, jis visai manęs nenuramino, bet pasijutau keistai jam dėkingas ir todėl nemenkai išsigandau dėl savo nejučia išsprūdusių žodžių:

– Bet juk ir aš ten buvau. Neabejotinai esu įsipainiojęs ir aš.

– Jis buvo nusikaušęs, griuvo ir taukštelėjo galvą, – pasakė Lukas ir sviedė man storą pluoštą banknotų. – Kokia gi čia bėda?!

Jis, žinoma, klydo. Bėda buvo. Tik dalijomės ją per pusę.

– Kiek čia? – brūkštelėjau pirštu per banknotus.

– Dvylika tūkstančių.

„Dvylika?! Už vos ne naują reindžroverį, kuris tikriausiai vertas ne mažiau kaip dvidešimties?!“ Jį apiplėšė.

Jis pažvangino apsitrynusiais rakteliais.

– Ir dar senas raudonas „Eskortas“.

Vis tiek jį truputį apmovė, tik nesijaučiau turįs teisę jam prikaišioti.

– Raudonas „Eskortas"? – perklausiau, kai ką prisiminęs. – Visai, kaip turėjo mano tėtis.

Prieš daug metų toks buvo pats pirmas automobilis, kokiu prisimenu važiavęs, prisegtas diržais vaikiškoje sėdynėje užpakalyje, mamai su tėčiu besijuokiant, bepokštaujant ir meiliai besišnekant priekyje. Praeitis kartais atrodo kaip koks nežemiškas pasaulis. Išsinėriau iš rankšluosčių ir ėmiau mautis trumpikes.

– Aš noriu važiuoti, Lukai.

– Ar jau galėtum?

– Galėčiau, – atsakiau.

Nors buvo ne taip svarbu, ar galėčiau, kaip svarbu nebesėdėti vienoj vietoj ir nebūti sučiuptiems.

* * *

Po viešbučiu buvo požeminė automobilių aikštelė. Čia fordas „Eskortas", kurio variklio cilindrai būna išrikiuoti „V" raidės pavidalu, stovėjo nuošaliai nuo kitų mašinų tirštame šešėlyje, paliktas ten, kur dirbtinės lubų šviesos glostė betonines kolonas, laikančias žemas lubas. Kai ėjom prie mašinos, žingsniai aidėjo tarp plikų sienų ir atrodė, kad stovėjimo aikštele žingsniuoja daugybė nematomų žmonių. Pabūgęs tokios iliuzijos, suspaudžiau pinigus, susuktus į parduotuvės maišelį, ir apsidairiau, bemaž tikėdamasis, kad koks tikras gatvės plėšikas prišoks ir išplėš nešulį. Gyvenime nebuvau matęs tiek pinigų, o juo labiau laikęs rankose. Keistas dalykas, tačiau kai buvau praradęs viską toje degalinėje, aš jaučiausi saugesnis nei dabar, eidamas su šita krūva pinigų.

– Ką darysim? – pasidomėjau.

– Ką turi omeny? – atsiduso Lukas.

– Su pinigais. Ar padėsi į banką?

Sustojo, nusijuokė ir paklausė:

– Ar aš tau panašus į juočkį?

– Atsiprašau, kaip? – paklausiau sutrikęs.

– Man aštuoniolika, Danieliau, – pranešė man Lukas. – Ateisiu į Vestminsterio nacionalinį pagrindinėj gatvėj atidaryt sąskaitos ir padėt dvylikos gabalų. Kovos su narkotikais brigada ten atsiras pirmiau, negu bankas spės mus ištrenkt pro duris. Supranti, biče? Šitaip padarytų tik nelabai galvotas juočkis kvaišalų prekeiva. Tai ir klausiu, ar aš tau panašus į juočkį? Panašus?

– Aš tik... Aš ne...

Netikėjau savo ausimis. Žinoma, buvau tūkstančius kartų girdėjęs šitaip kalbant kai kuriuos vištgalvius, su kuriais, deja, teko eiti į vieną mokyklą, bet kad šitaip kalbėtų jis – taip jis nekalba. Tarsi į jį būtų įsikūnijusi kokio kietakiaušio iš landynių rajono dvasia.

Nusprendžiau nesiginčyti, užsičiaupti ir baigti kalbą. „Niekas nėra tobulas", – pasakiau sau. Lukas žiūrėjo į mane ir šypsojosi. Kiekvienas kvailioja savaip. O jis štai šitaip.

Lukas niuktelėjo kumščiu maišelį su pinigais, mano glaudžiamą prie krūtinės, ir pasakė:

– Susidėliokim šlamančius!

Atidarė automobilio dureles ir įlipęs ištraukė iš parankinės atsuktuvų komplektą. Kai įsėdau iš kitos pusės, jis pradėjo ardyti nuo vairuotojo durelių juodą plastiko plokštę.

– Ką darai?

– Čia bus mūsų bankas, – paaiškino. – Paslėpsim pinigus šičia.

Plokštę nukėlė į šalį, ir duryse atsivėrė gili slėptuvė.

– Puiku, a? – mirktelėjo man.

Puiku? Sumanė tikrą siaubą. Jei mašiną pavogtų, pinigai pražūtų drauge. Bet mašina jo, pinigai taip pat, tai kaip aš galiu ginčytis? Nesugebėjau išsaugoti net „Nikės" sportinio krepšio.

* * *

„Eskortas" labai priminė tą, kuriuo mokiausi vairuoti. Visai nerūdijantis, sėdynės kaip aplamdyti krėslai. Toks automobilis akies netraukia, betgi kaip tik šitokio dabar mums ir reikėjo.

Čia buvo net radijas, labai gerai pagaunantis bangas, ir mes klausėmės roko muzikos stoties. Pabandžiau pamiršti mūsų bėdas ir nebejutau sparčiai lekiančio laiko, žiūrėdamas pro langą, nerūpestingai pasinerdamas į save, prisimindamas senų dainų žodžius, tyliai juos tardamas mintyse.

Mudviem ilgokai patylėjus, jis tyliai tarė:

– Negaliu patikėti.

Jo balsas atsklido tarsi iš anapus. Atsiliepiau:

– Kas yra?

Jis sulėtino, nusuko ant sutvirtinto kelkraščio ir sustojo. Pasiekė salono gale ir atsivertė Didžiosios Britanijos kelių atlasą. Susirado reikiamą puslapį. Pažvelgiau į gulinčią ant jo kelių knygą ir, kaip visada man būdavo, kai tik susidurdavau su žemėlapiais, pasijutau visiškas beraštis.

– Kur mes negerai pasukom? Na, ar patikėsi?!

– Kuo patikėsiu?

– Kai išvažiavom iš viešbučio Oksforde, maniau, traukiam į pietus... Kaip čia nutiko? Man kelias pasirodė lyg pažįstamas. Mes važiuojam į šiaurę, grįžtam Banberio kryptimi.

– Banberio kryptimi. Banberis yra pakeliui į Danvigeno Holą?

– Nepulk į paniką. Dar ne taip labai ir prisiartinom.

Klaida buvo tiesiog siaubinga. Ar tik ne iš tikrųjų pajutau, kaip širdis gniaužosi ir kraujas veržiasi venomis ir arterijomis?

– Man reikia į tualetą, – pareiškiau.

– Čia bus degalinė, už poros mylių, atsigersim kavos. Atleisk man, – pridūrė, mums išvažiavus į autostradą.

– Tu nekaltas, – atsakiau, pilvui susimezgant ir vėl atsileidžiant, sustreikavusius vidurius raižant vis aštresniam skausmui ir baimei, mums grįžtant nusikaltimo vietos link.

10

Merginos

Apsitaškiau veidą šaltu vandeniu ir, kai skruostai vėl parausvėjo, supratau, kad toks viduriavimo priepuolis nepasikartos.

Degalinės kavinė buvo visai tokia, kokioje mudu susipažinom, tik gal čia kiek daugiau žmonių, ir aš nemačiau, kur jis sėdi. Šurmulyje staiga suskardėjo juokas, o paskui nuvilnijo kikenimas. Ėjau lėtai, dairydamasis aplinkui, nenorėdamas, kad kas mane matytų. Vėl kažkur išsiveržė kvatojimas, iškilo virš minios lyg pamišėlis ant kojūkų. Sprendžiant iš balsų, už kampo juokėsi būrelis merginų. Ėjau į tą triukšmą ir radau Luką prie stalo kampe, sėdintį priešais tris merginas – prieš blondinę, raudonplaukę ir tamsiaplaukę. Jos sėdėjo nugaromis į mane, todėl veidų nemačiau. Supratau, kad Lukas jas jau pakabinęs, traukiodamas jų smegenų svirtis, versdamas kikenti ir kvatoti. Žvilgtelėjo į jas ir pastebėjo mane.

– Danieliau, ei, maniau, pasiklydai!

Prisėdęs prie Luko, pirmą kartą pažvelgiau į merginas, subedusias žvilgsnius į jį. Pažvelgiau dar kartą. Ir dar. Ir dar į juodaplaukę priešais save – ir vos susilaikiau nešūktelėjęs: „Neįtikėtina!“ Nukreipiau akis šalin, bet jos pačios nesulaikomai vėl nukrypo į ją. Čia sėdėjo Ketė, tik dabar ne su medžioklės švarku ir juoda skrybėle, o su mėlynu ištaigingu švarkeliu.

Ji pamažu atsigręžo į mane, patraukta neprašyto mano dėmesio, ir paklausė:

– Ko tu žiūri?

– Į tavo švarką. Nuostabus.

– Beje, – Lukas nukreipė kalbą į mane, – čia Danielius. Danieliau, čia Ketė. – Paskui parodė į blondinę: – ir Lora! – Paskui parodė į raudonplaukę: – Ir paskutinė, bet ne grožiu, Džeinė!

– Man atrodo, kad esu tave matęs anksčiau, – pasakiau Ketei, – aš filmavau, kur ten viskas vyko!

– Netikęs būdas susipažinti! – sunkiai atsiduso Džeinė.

– Aš tai nemanau, – atsakė man Ketė. – Vargu ar esu tave kada mačiusi.

– Tuomet aš būsiu apsipažinęs. Atsiprašau.

– Mes ne vietiniai, – paaiškino Lukas. – Tačiau, žinoma, suprantu, ką turi omeny, Danieliau. Kete, tu iš išvaizdos tikrai panaši!

Jo kalba mane tai šaldė į ledą, tai vėl nepaprastai kaitino. Jis atsigręžo į mane, gudriai šyptelėjo ir paklausė:

– Ar elementus filmavimo kamerai gavai?

Džiaugiausi, kad jis klausia ne apie viduriavimą, taigi džiugiai pamelavau:

– Taip, elementus gavau. Sutvarkyta, Lukai.

Lora su Džeine ėmė kvikenti – iš pradžių tyliai tarpusavyje, o paskui atsigrįžusios tiesiai į mane. Lora kiek apsiraminusi paklausė:

– Tu iš Airijos ar iš kur nors panašiai?

– Jis ne airis, jis liverpulietis, tu prietranka!

Džeinė dabar kvatojo iš Loros, ir taip garsiai, kad žmonės prie aplinkinių stalelių suko į mus galvas, žiūrėjo smalsiai ir kartu piktai. Ketė patapšnojo Džeinei per petį.

– Nurimk, dėl Dievo meilės!

Gerdamas kavą, pažvelgiau per puoduko kraštą ir susidūriau su Ketės žvilgsniu.

– Ar esi jų prižiūrėtoja?

Džeinės ir Loros veidukai ištįso, abi suprato, kad atėjo eilė patraukti per dantį jas.

– Rodos, kartais tenka, taip, – sutiko ji.

– Tai kurgi jūs keliaujat? – paklausė Lukas.

Merginos susižvalgė ir akimirką dvejojo. Džeinė su Lora suvaidino dar nerūpestingesnes, nei jas sukūrė gamta.

– Paslaptis, – paskelbiau aš, Lukui patraukus Ketės dėmesį plačia šypsena.

– Galite mums nesakyti, jeigu nenorit, – sušnabždėjo jis Ketei.

Lukas pažvelgė į savo laikrodį ir atstūmė kėdę, leisdamas suprasti esąs pasirengęs išeiti. Ten, kur jos keliauja, tikriausiai bus smagu, ir keliauja jos kažkur, kur joms nederėtų. Nežinia, kur jos važiuoja, nežinia, ką jos veikia, bet jos nenori, kad vyktume drauge.

– Mes jūsų nė nepažįstam, – paaiškino Ketė.

„Taip ir yra! – pagalvojau. – Bet mes jau gerokai pažįstam tave.“

– Nieko nenoriu įžeisti, – kalbėjo ji, – tačiau...

– Na, o kur vykstat jūs? – netikėtai paklausė Lora, taip staigiai viksteldama galva, kad nepakankamai mankštintą tikrai būtų susižalojusi.

– Mes? Mes sukam filmą! – atsakė Lukas.

– Melagis! – pareiškė Džeinė.

– Kuriam dokumentinį filmą. Lukas režisuoja, aš dirbu su kamera.

Trys veidai – trys grimasos: Lora tiki, Džeinė nelabai, o Ketė lyg ir nė kiek nesujaudinta.

Po dešimties minučių trijulė jau stovėjo prie „Eskorto" bagažinės ir žiūrėjo į vaizdajuosčių dėžę. Įkišau juostą į kamerą ir nukreipiau į jų veidus. Džeinė ir Lora ėmė kvikenti, o Ketė sutrikusi pasitraukė iš kadro.

– Išjunk!

Lora paklausė:

– Kaip elgtis? Ką turėtume daryti?

– Grįžk, Kete! – pakvietė Džeinė. – Eikš, filmas bus apie mus *visas*.

Merginų nepatiklumas ėmė sparčiai nykti.

– Aš nežinau, man bjauru filmuotis, – aiškinosi Ketė dairydamasi, ir jos esybė kiek atitirpo.

Kai ji žengė prie draugių, Lukas palietė mano ranką, prašydamas dėmesio.

Nuleidau kamerą ir pasižiūrėjau į jį. Supratau. Jis tiesiog nelabai susigaudė, ką su jomis daryti, ir tarė:

– Tegu jos eina artyn į kamerą ir ką nors pasakoja apie save!

Lukas išrikiavo jas vieną greta kitos ir – tiesiog nuostabu, kokios jos tapo paklusnios prieš kamerą, – visos žengė į mane tarsi šešiakojis trigalvis padaras, kalbantis trimis burnomis paeiliui iš kairės į dešinę.

– Aš esu Ketė, man septyniolika... ir man nepaprastai nesmagu.

– Aš Džeinė, man irgi septyniolika, esu iš Čeltengamo, kaip ir mes visos, mano tėtis gamina traktorius, na, jis turi gamyklą, kuri gamina traktorius... Aš ketinu tapti žvaigžde!

– Aš esu Lora, man šešiolika, o tai nuostabu, aš greitai lankysiu dramos mokyklą, mūsų tėvai mano, kad mes vykstam pas drauges, o mes pakeleivingom važiuojam pasiausti per visą naktį pas diskotekininką Stivį Aleną, kuris turi aparatūrą ant ratų!

Laikiau kamerą nukreipęs į Loros veidą. Ketė su Džeine atsisuko į ją.

– Užsičiaupk, palaidaliežuve! – šūktelėjo Džeinė.

Ketė gestu Lorai parodė, kad ta užsitrauktų burnos užtrauktuką. Ir Loros palaidasis liežuvis, plačioji burna – merginų žodžiai – staiga nutilo. Užsipulta draugių Lora atrodė tokia jaunutė, tokiu niūriu veiduku, akivaizdžiai užgautais jausmais.

Lukas išsišiepė ir sušnabždėjo:

– Ir spėk, ką jos vežasi drauge, Danieliau?

Bevažiuojant tolyn nuo Banberio, iš merginų kalbų tesigirdėjo tik nuotrupos – trijulė pasiskubino pritilti, kad mudu negirdėtume, nors, aišku, kai ką girdėjome, – ir pirmą pusvalandį kalbėjo šitaip.

– Lora, kodėl tu kartais nesugebi patylėti? – pralinksmėjusi Džeinė dabar kalbėjo visai kitaip. – Tu tiesiog... Tavim neįmanoma pasikliauti.

– Tai kad taip išsprūdo, ir tiek!

Negalėjau pasižiūrėti į Luką, bijodamas susijuokti.

– O ar nepaimtumėte mūsų drauge, a? – gyvai įsiterpė Lukas.

– Tai jau ne, – nenuoširdžiai atsakė Ketė. – Lora, kodėl nemąstai prieš atverdama burną?

Ketė akivaizdžiai labai susimąstė dėl Luko klausimo, tačiau nutilo.

Bevažiuojant ėmus vakarėti, autostrados ženklai rodė, kad mes vis artėjame prie Čiping Nortono.

– Kur tu išgirdai apie tas linksmybes? – paklausiau aš.

– Per piratinę radijo stotį, per „Dumą". Ten pastato palapinę! – paaiškino Ketė. – Tik įspėja, kad pasakytum savo draugams, jog nesivežtų nepažįstamų žmonių.

– Tokių kaip mudu, – pagarsinau jos mintį. – Bet su mumis bėdos nėra. Mes romūs kaip avinėliai, ar ne, Lukai?

– Musės nenuskriaustume, Danieliau.

– Tik kad mes nelabai jus pažįstame, – pareiškė Džeinė.

– Teisybė, – pritarė Lukas. – Tai gal tada mums rodykit kelią, mes jus tenai nuvešim ir pasakysim *adios, amigos!* Ir tuomet jūs būsit niekuo dėtos, jei kartais susimanytume nugalabyt kokį nekaltą žiūrovą.

Merginų nuotaika kaipmat pasitaisė. Ir vilkas bus sotus, ir avis sveika – jos nuvežamos ten, ir mes atsikabinam. Lukas varė toliau:

– Bet man tada reikia kiek smulkiau žinoti, ne vien tik, kad kažkur lauke prie Čiping Nortono stovi palapinė!

Jis pasižiūrėjo į Ketės atspindį veidrodėlyje. Mergina išsitraukė iš kišenės ir padavė man sulankstytą rašomojo popieriaus lapą. Tuoj išskleidžiau. Čia buvo instrukcijų sąrašas, pagrindinių bei šalutinių kelių pavadinimai ir kruopščiai ranka nupieštas žemėlapis.

– Atsigersim kavos, – pasakiau Lukui, – ir aptarsim, kaip ten nusigauti. O vis dėlto, jei galima paklausti, kaip jūs ketinote nukakti tenai, jei niekas nebūtų nuvežęs tiesiai?

– Mes į tokį renginį važiuojam pirmą kartą, – paaiškino Ketė.

– Tuomet jums pasisekė, kad susitikot mudu, ar ne? – Lukas paėmė žemėlapį.

* * *

Susėdome „Mažajame virėjuje" prie lango ir užgulėme ranka braižytą žemėlapį. Lyginome jį su kelių atlasu. Žiūrėjau, kaip Džeinė ir Lora stebi Luką, besirašantį vieną kitą pastabėlę susidaryti maršrutui likusiai kelio atkarpai. Aš tryniausi rankomis veido pakraščius ir spėliojau, kodėl kai kurie žmonės yra apdovanojami šitokiais žvilgsniais, kodėl į juos spoksoma nepaprastai susižavėjus ir kodėl, kita vertus, yra tokių kaip aš? Jis žiūrėjo į žemėlapį ir atrodė galvotas, o aš žiūrėjau ir atrodžiau sutrikęs. Jis šypsojosi ir atrodė malonus ir žavus, o aš šypsojausi ir atrodžiau kaip niekam tikęs pliažo pamaiva. Ketė su Lora susižvalgė ir buvo akivaizdu, kad jį dievina.

– Viskas puiku! – Lukas užvertė atlasą.

Aš niūriai susimąsčiau, ar atrodytų jis joms toks patrauklus, jeigu jos pamatytų Luką besidarbuojantį su beisbolo lazda? Vos tik mano galvoje kilo tokia mintis, Lukas pasižiūrėjo tiesiai į mane ir padavė žemėlapį su instrukcijomis. Nusukau akis šalin, įsistebeilijau į popierių ir pakilau iš savo vietos.

– Kas yra, Danieliau?

– Einu į tualetą.

Niekur man nereikėjo, tačiau mane apėmė troškimas pasprukti nuo Luko ir merginų, bent keletui minučių. Kai tik atsistojau, iš moterų tualeto išėjo Ketė su nauju makiažu ir paėmė nuo nenukraustyto stalelio kažkieno numestą „Deili miror" laikraštį. Palydėjome vienas kitą pasveikinimo šypsena. Mano veide ta šypsena buvo dirbtinė, nes išvydau pirmą to laikraščio puslapį. Pasisukau ir ištariau:

– Kete!

– Ką?

– Ar... ar galėčiau užmesti akį į laikraštį?

Ji gūžtelėjo pečiais ir atkišo man.

Skubiai nužingsniavau, vos ne pasileidau bėgti, prie tualeto durų, melsdamas Dievą, kad akys būtų mane apgavusios, kad ta nuotrauka, kurią išvydau, ir antraštė prie jos tebūtų vien tik optinė apgaulė. Spaudžiau laikraštį sudrėkusioje saujoje, nedrįsdamas pažvelgti į jį kitų žmonių akivaizdoje.

Tualete nieko nebuvo. Aš nepatogiai prisėdau artimiausioje kabinoje. Giliai įkvėpiau ir užsimerkiau: „Meldžiu, meldžiu, neleisk šito!" Pasidėjau laikraštį ant kelių, atsimerkiau ir pajutau, kaip dreba širdis, kaip sklinda nuo jos stingdantys šiurpo raibuliai iki pat pakaušio ir iki kojų pirštų galiukų.

Antraštė buvo vienintelis žodis – NUŽUDYTAS. Auka – jos nuotrauka po pat žiauriu pranešimu – geltonplaukis, dar ne per seniausiai vaikščioti pradėjęs kūdikis iš gausios Žebenkšties šeimynos. Po berniuko nuotrauka parašyta: „Kailas... žiauriai nužudytas".

Išgirdau atsidarant tualeto duris ir pažinau Luko žingsnius. Jis švelniai pašaukė:

– Danieliau! Ar viskas gerai? Ketei tu pasirodei kažkoks persimainęs, ar kaip.

Man liežuvis prilipo prie gomurio. Dar kartą pasižiūrėjau į nuotrauką. Ar čia tikrai jis? Perskaičiau įvadinę pastraipėlę:

Miške prie Banberio policija rado negiliai užkastus suluošintus keliautojų mažamečio vaiko Kailo Volfo palaikus.

Toliau skaityti nebepajėgiau.

– Danieliau, tu neužsisklendęs durų? Atidarau, gerai?

Lukas lėtai pastūmė duris ir pasilenkė, mūsų žvilgsniai susidūrė. Spaudžiau pirštais smilkinius, tarsi stengdamasis neleisti sprogti kaukolei ir išsiveržti smegenims. Drebėjau.

– Danieliau, kas čia? – pasižiūrėjo į laikraštį ir paėmė. – Na ir pasitaiko nesveikų šunsnukių, – pareiškė lyg teisindamasis man, tarsi aš būčiau toks mažametis vaikas.

Lukas stovėjo kabinoje, uždarė duris, suspaudė mano rankas ir pažvelgė į akis:

– Nežinojau, kad rado palaikus.

– Bet tu žinojai, na, kad dingęs?

– Pranešė per žinias, per televiziją.

– Ir man nepasakei! Kodėl? Mes juk tą vargšelį pažinojom, nors mažai, bet – Viešpatie – mes jį pažinojom!

– Pagalvojau, kad naujiena tave prislėgs. Ir buvau teisus, ar ne? Tu sužinojai ir esi prislėgtas.

Nebepajėgiau nė žodžio ištarti, akys pritvinko ašarų, ir nė neketinau jų tramdyti.

– Jo motinai koks smūgis, – ištariau.

Lukas sulankstė laikraštį ir numetė tualeto pasienin.

– Kažin ar tau derėtų apie tokius dalykus skaityti, Danieliau. Juk supranti, nieko gero iš to nebus. Tik dar labiau būsi prislėgtas.

– Bet aš noriu sužinoti, kaip ten jam atsitiko!

Lukas vėl suspaudė mano rankas.

– Tiesiog kelias akimirkas tylomis pagerbkime vargšą mažylį Kailą, mūsų draugužėlį.

Aš meldžiausi... Kas galėjo taip padaryti, kad reikėjo mirti ilga, lėta, skausminga mirtimi, šaukiant iš baisaus skausmo ir praradus bet kokią viltį...

– Kaip ten atsitiko? – ištraukiau rankas ir pabandžiau paimti laikraštį.

Lukas mane apkabino ir švelniai pasakė:

– Jis uždaužytas su lazda, ir jam prie kaukolės pãmato rastas įbestas peilis banguotais ašmenimis.

– Kodėl?

– Pasitaiko tikrų ligonių. Ką bepridursi.

– O ar jis... ar... – siaubinga buvo net ištarti.

– Tu turi omeny, ar Kailas buvo išniekintas? Jau kape? Lytiškai? Ne, ačiū Dievui. Jo nežagino. Žudikas buvo ne toks, sprendžiant iš pranešimų.

Gal mane apgavo vaizduotė, tačiau man žandikaulis, ten, kur įspyrė Kailas, ėmė tvinkčioti. Laikiau ant tos vietos ranką ir ėmiau vis labiau stėrti.

– Nori čia dar pabūti pats vienas? – paklausė Lukas.

Linktelėjau. Paėmė laikraštį ir pasakė:

– Klausyk, nekalbėkim apie jį prie merginų, gerai?

– Kodėl?

– O kam? Jos įsivarys klausinėti, tikėsis išgirsti iš mūsų kuo daugiau kvailų smulkmenų. Turim skausmą užgniaužti, čia juk ne koks neįveikiamas dalykas, ar ne? Noriu pasakyti, Danieliau, parodykim Kailui šiek tiek pagarbos!

– Taip, pagarbos! – nusiplėšiau nuo ritinėlio skiautę tualetinio popieriaus ir nusišluosčiau veidą.

– Tai aš tave paliksiu. Neskubėk, susidėliok mintis. Nusiprausk veidą, mes tavęs lauksim. Gerai?

– Gerai.

– Merginoms nė žodžio, a?

– Taip.

Patapšnojo man per petį ir išėjo, o aš likau kur buvęs, šluosčiausi veidą ir stengiausi nusiraminti. Iš karto buvau nusprendęs, kad į ištisos nakties renginį norėčiau, o dabar staiga nebesinorėjo tenai visiškai. Gal, pagalvojau, jeigu tualete pabūsiu ilgiau, Lukas su merginomis mane pamirš, gal nusibos jiems laukti ir išvažiuos be manęs.

Atsidarė tualeto durys, ir Lukas pasakė:

– Liaukis, Danieliau, tu čia jau visą pusvalandį, ir mums gaišti darosi nebelabai gerai!

– Dar porą minučių! – atsakiau.

Jis išėjo. Saujomis pyliausi ant veido vandenį, persibraukiau rankomis geliančią galvą ir nusilyginau žemyn plaukus. Pasižiūrėjau į veidrodį. Atrodžiau pasigailėtinas, piktas ir sutrikęs kaip koks pabėgėlis.

Sunku buvo ne tik dėl siaubingos Kailo mirties, bet ir dėl to, kad tas, kuris jį nužudė, šlaistėsi kažkur netoliese ir džiaugėsi saulės spinduliais, krintančiais ant jo bjauraus bjauraus snukio.

11

Narkotikai

Kai naktis pasitraukė, mes autostradoje įsiliejome į padriką koloną, kurią sudarė palamdyti vežimaičiai su siaubingomis stereosistemomis (turbūt gerokai brangesnėmis už pačias transporto priemones), dundinančiomis rėksmingą šokių muziką.

– Kas atsitiko? – Ketė palinko į priekį prie pat mano pakaušio.

Aš jau bemaž buvau visus pamiršęs ir staiga skausmingai susivokiau, kur esąs.

– Tu nuo „Mažojo virėjo" nepratarei nė žodžio.

– Man viskas gerai. Ačiū.

Džeinė su Lora šnabždėjosi ir prapliupo juoktis, tai aš atsigręžau ir paklausiau:

– Ar žinot, kieno pats storiausias pasaulyje bosas?

Jos nežinojo. Variau toliau:

– Besiporuojančio Afrikos dramblio. Jo balsą įrašinėjo šešis mėnesius, nes dėl garso stiprumo sugedo visa įrašymo aparatūra. Dabar galima nusipirkti įrašytą diske, tik nereikia per daug pagarsinti, nes garsiakalbiams peilis!

Merginos lyg sutriko ir nutilo. Lukas pirštu spaudė signalą, ir priekyje važiuojantis automobilis atsakė pagarsintu aparatūros gausmu.

Užsikėliau ant peties kamerą ir nukreipiau objektyvą į sąvartyno vertą fordą „Kortiną“ su tūkstančius kainuojančia muzikos aparatūra. Pro jos dundesį lyg išgirdau prasismelkiantį ir kitą triukšmą, atsklindantį iš kažkur netoli.

– Girdit? Va kur visi važiuoja!

– Neįtikėtina, – pasakė Lora. – Aš taip seniai svajojau ten nuvažiuoti.

– Mama su tėčiu nepritaria? – atsiliepė Lukas.

– O ką jie supranta! – tarė Džeinė. – Mano, kad ten visi tik pasikrauna kvaišalų ir šoka, kol nugriūva.

– Daugmaž teisybė, taip, tikrai! – Lukas nusikvatojo. – Beje, jeigu jau prisiminiau, tai pasikrausiu tuoj pat, nes gal prie įėjimo apieško.

Tyla. Ketė paklausė:

– Ką tai reiškia, Lukai?

– Ogi tai reiškia, kad jau kavinėj daviau Lorai su Džeine porą tablečių.

– Nevartoja jos jokių kvaišalų, – nustebo Ketė. – Kada jis jums davė?

– Jis mums pardavė, – paaiškino Lora, pabrėždama, kad tikrai nedovanojo.

– Žiūrėk, – įsiterpė Lukas, paėmė baltą tabletę ir labai pamažu įsikišo į burną. Jo gerklė kilstelėjo, Adomo obuolys pašoko ir subangavo tarsi smauglys, ryjantis mažą graužiką. – Čia iš to paties pakelio. Jeigu pirksi tenai, tai dar nežinai, ką pakiš... O čia užtikrinta, aišku?

Nenorėjau girdėti, kaip už nugaros Lora ir Džeinė aiškinasi su Kete.

– Kaip jaučiatės? – pasidomėjo Lukas.

– Nenoriu aš tenai eiti. Gal tiesiog pasėdėsiu automobily, ar kaip.

– Nenoriu pasirodyti bejausmis, bet nieko tu čia nepadarysi. Bent dabar tai tikrai. Kad liksi niūrinėti, tai būk tikra, tas nepadės.

– Kiek sumokėjot? – Ketė pakėlė balsą.

– Dešimtuką už tabletę, bet tu jau per daug! – taip pat garsiai atrėžė Lora.

– Ar tu žinojai, Danieliau? – paklausė Ketė, vildamasi paramos.

– Lyg ir... – pamelavau.

– Viešpatie, ar aš čia vienintelė sveiko proto?!

Stojo slogi tyla.

Prieš mus važiavo apdaužytas fiatas. Žiūrėjau į jo užpakalinį langą ir vyliausi išvysti Kailo veiduką, išnyrantį iš tamsos.

– Kas, po paraliais, pasidarė šitam pasauliui? – paklausiau tiek savęs paties, tiek Luko.

– Pasauliui? – perklausė jis, lengvu, atsainiu mostu parodydamas visą platų pasaulį. – Jame atsiimam už savo nuodėmes, jame kovojam ir kenčiam, ir mirštam, ir vis iš naujo, iš naujo, iš naujo.

– Vadinasi, kvaišalai jau pradeda veikti.

– O tu, Danieliau, kaip manai, – Džeinė sukrykštavo man prie ausies. – Argi ne asmeninis reikalas rinktis, a?

– Tik jeigu supranti, ką renkiesi. O jei nesupranti, tai kas nors kitas daro su tavo smegenimis ką tik nori. Jeigu jau klausi manęs, tai čia ne pasirinkimo laisvė, o pati aukščiausia klasė, pats didžiausias pimpiagalviškumas.

Po poros minučių buvom ten. Viskas vyko milžiniškoje palapinėje tuščiame lauke, tarsi kokiose velnių urkštynėse.

Didesni ir mažesni automobiliai stovėjo palei vieną palapinės šoną, bet Lukas ten palikti „Eskorto" nenorėjo.

– Čia automobilių vagių rojus, – paaiškino važiuodamas pro šalį, ir suradome aikštelę prie miško keliuko, netoli kryžkelės.

– Linkim gero apetito, nepaspringt šeriais moskito! – šūktelėjau, kai išlipom.

Ketė nė nežvilgtelėjo. Tiesiog nuėjo šalin, lyg nuo bjauraus kvapo.

– Kokios tos tabletės? – paklausiau Luko.

– Aspirinas, – nusijuokė. – Pardaviau joms keturias tabletes aspirino už keturiasdešimt svarų.

– Kaip?! – nesupratau.

– Pavadinsim bauda – už visišką bukumą. Aukščiau nosį. Va, imk automobilio raktelius, tegu visi mano, kad tu jau didelis.

Muzika supo ir lyg jūra skalavo mano kūną, o šviesos spinduliai aplinkui draikėsi lyg besiritančios į tamsą bangos. Tarsi būčiau žengęs iš tikrovės pasaulio į kažkokį kitą, kur viskas regima, girdima ir juntama daug ryškiau. Čia tamsa – kaip maiše, o šviesos pakanka persmelkti net ir tvirčiausiai širdžiai.

Lukas man iš šalies kalbėjo garsiai, bet aš negirdėjau. Muzika lyg stora anklodė užslopino visus kitus garsus.

Viena iš gražiausių pasaulyje moterų lakstė aukštyn ant sukaltos scenos ir vėl žemyn, kur buvo įtaisyta muzikos aparatūra, šaukdama į pritaisytą prie galvos mikrofoną ir ragindama kiekvieną iš mūsų kelti dar daugiau triukšmo, ir keli šimtai švilpesių nustelbė bosinio ritmo trenksmus ir vėl nuslopo, lyg sidabrinė žuvis būtų iššokusi iš vandens ir vėl nėrusi į tariamą upę. Mane gyvą prarijo renginio atmosfera, suvirškino garsai ir šviesos.

Iš viršaus tamsą rėžiančioje prožektorių šviesoje išvydau renginio vedėją. Štai kur puiki pakyla, prie aparatūros. Čiupau kamerą ir pagalvojau, kokių puikių vaizdelių galėčiau pagauti nuo vedėjo pakylos.

– Lipu tenai! – parodžiau į save, į kamerą ir į garso aparatūrą.

Lukas lyg ir suprato, pritardamas iškėlė nykštį. Jis bakstelėjo į savo laikrodį ir parodė penkis pirštus. Jei mudu nebesusitiktume, tai sutarėme grįžti prie mašinos penktą ryto.

Galva apsunko nuo skaudžios netekties, bet jutau ir dar kažin ką, taigi Lukas bent jau iš dalies buvo teisus. Jaučiausi esąs keistai kitoks, priblokštas to kito pasaulio sambūrio panoramos. Paskendęs mintyse, praėjau pro pusnuogę merginą. Kitomis aplinkybėmis akys man nebūtų išsprogusios ant kaktos, bet ji buvo dar vienas spektaklio elementas, dar vienas nepaprastas fantastiškos visumos krislelis.

Nukreipiau kamerą į aukštaūgį, ištįsėlį ir geltonplaukį renginio vedėją. Jis pažvelgė iš viršaus į mane ir pamojavo ranka. Ar skatino prieiti arčiau? O gal tik šitaip šoko pagal muziką?

Ant ilgos rampos stovėjo išrikiuoti stiprintuvai ir garsiakalbiai, pakankamai galingi, kad sukeltų dulkių audrą Mėnulyje, sujungti su aukštai ir atokiau įtaisyta apšvietimo aparatūra. Stovėjau ir išsižiojęs stebėjau visą mechanizmą, kuris daužyte daužė pojūčius ir sodrino šio neįtikėtino pasaulio garsus ir vaizdus.

Vedėjas sukosi ir šoko. Jis staipėsi prieš kamerą ir kvietė mane prieiti arčiau. Man atsargiai žengiant per išvyniotų laidų ringes, vedėjas atkreipė mano dėmesį į šokių aikštelę. Atsukau kamerą į šokančiuosius ir pajutau tam, ką filmuoju, nenusakomą pagarbą ir baimę. Minia atrodė kaip vaizduotės sukurtas padaras, išlindęs iš urvo pažaisti dirbtiniame triukšme ir elektriniuose saulės spinduliuose. Padaras turėjo šimtus galvų ir tūkstančius akių ir buvo siaučiamas garo. Visas jo daleles į visumą jungė elektra, lakstanti per gausybę smegeninių.

Staiga apšvietimas pasikeitė, ant minios pasipylė prožektorių blyksnių papliūpa. Visi maniakiški judesiai pavirto ryškiais animaciniais kadrais, akinamai žybsinčiais visiškoje tamsoje. Rankos iškilo aukštyn, blyksniuose virto vaiduokliais, visos drauge sudarė tiesiog antgamtišką reginį. Aš tarsi išvydau ryškėjančius Kailo veidus, šimtus portretų, susidarančių šviesos blyksniuose iš rankų. Besišypsančius veidukus, verkiančius veidukus, daugybę burnų, kažką sakančių judant rankų pirštams, šaukiančių: „Gelbėk!"

Staiga lioviausi filmavęs ir, kietai užmerkęs akis, sumurmėjau pats sau: „Išnyk!" Pamažu atsimerkiau. Veidas buvo išnykęs, bet mane apėmė toks jausmas, kad aš visiškai įkliuvęs, ir pašoko laukinė baimė. Širdis daužyte daužėsi, nuo kaktos varvėjo prakaitas ir degino akis.

Įsivaizdavau save griūvantį, besistengiantį paspruktí, bet griūvantį, prarandantį sąmonę ir ištinkamą priepuolio. Regėjau save alpstantį, besiraitantį, su putomis ant lūpų, virstantį ant minios ir virš galvų nešamą rankų konvejerio.

Suspaudžiau rankose kamerą ir garsui stiprėjant pasileidau bėgti išilgai rampos. Prie užpakalinio palapinės išėjimo prabėgau pro būrelį vaikinų, geriančių užsienietišką alų ir žiūrinčių, kaip renginio vedėjas valdo minią, ir bėgau, vis bėgau tolyn į nakties tamsą.

* * *

Sėdau į vairuotojo vietą, nesąmoningai pasukau uždegimo raktelį ir pamačiau užsižiebiantį ir vėl užgęstantį prietaisų skydelį, išgirdau po kapotu kažką pasisukant ir spragtelint, imant vestis ir užgęstant. Pasukau raktelį kiek smarkiau, kiek toliau, ir variklis atgijo. Sučiaudėjo, sudundėjo ir ėmė gausti vienodai. Automobilis veikė.

Žvilgtelėjau per petį. Niekas nėjo artyn, ir aš patikrinau, ar tikrai išjungtas bėgis, atleidau rankinį stabdį. „Tik kiek pasivažinėsiu, vos keletą minučių..." Ir štai aš jau ant plento, riedu dvidešimčia mylių per valandą. Mane kausčiusi baimė, nerimas, siaubas tiesiog išgaravo, ir aš visiškai susiliejau su automobiliu. Terūpėjo dabar vien tik važiuoti tamsiais vingiuotais keliais su pavojingais posūkiais ir nematomais pavojais... spustelėjau iki keturiasdešimties, gniauždamas vairą net išbalusiais krumpliais, kaktą išpylė prakaitas. Visai nenutuokiau, kur važiuoju, bet ir apskritai vis menkiau save tesuvokiau. Man patiko vidinė apatija. Ji veikė kaip narkotikai, nešė mane šalin nuo aplinkinio pasaulio sukrėtimo ir kančių. Variau penkiasdešimt penkias mylias per valandą, ramiai šypsodamasis ir puikiai jausdamasis.

Tolumoje iš už vieno posūkio išniro pora žibintų. Kelio vingiais artinosi mašina. Čia man buvo tarsi smarkus antausis. Lioviausi mynęs akceleratorių, bet žibintai artėjo sparčiai. Aiškiai nematė manęs atvažiuojančio priešais.

Stingulys kaipmat išnyko, o mintys sumišo, nelabai susigaudžiau, ką geriausia būtų daryti, nes tas automobilis važiavo į mane vis greičiau ir, nors jau teriedėjau vos dvidešimčia, iki jo tebuvo likęs vienintelis posūkis.

Palei kelią ėjo siauras pylimėlis, todėl staigiai pasukau vairą ir įšokau į gyvatvorę. O tas čia pat prariaumojo keliu, tikriausiai nė nesupratęs, kad ką tik vos nesitrenkė kaktomuša į mane.

Variklis tebeveikė, automobilis pats atbulas išriedėjo iš gyvatvorės, nusirito nuo pylimėlio. Aš buvau sukrėstas, išsigandęs, drebėjau. Bet buvau sveikas. Laimingas išvairavau į kelią ir susimąsčiau, ar užtektų man benzino grįžti į Liverpulį. Ne, ne, ne... Negaliu aš grįžti namo, negaliu palikti Luko, negaliu pasiimti jo automobilio ir jo pinigų.

Priekyje išvydau kelio ženklą, rodantį pakelės poilsiavietę, ir pasukau. Įvažiavęs išjungiau variklį. Galva nulinko ant vairo, ir mane apėmė miegas. Nusnūsiu ir grįšiu. Pamiegojęs. Pasprukęs iš tikrovės pasaulio. Bent trumpai.

12

Žydra šviesa

Pramigau. Naktis dar nebuvo pasitraukusi, bet ir diena dar neatėjusi. Važiavau atgal, ten, kur buvome sutarę susitikti penktą. Tolumoje, virš gyvatvorių eilių, ištisinė žydrų blykčiojančių šviesų migla artinosi keliu tiesiai į mane. Sustingau, bet nesutrikau, atsargiai pasukau į kelkraščio pievelę, pakankamai plačią stovėti, ir išjungiau variklį. Švysčiojimams artėjant, tik nekaukiant sirenoms, peršokau ant gretimos sėdynės ir laukiau sukandęs dantis. Klausiausi skėsčiodamas ir gniaužydamas sudrėkusius pirštus, o variklių gausmas vis stiprėjo. Bandžiau įžiūrėti išsukusius iš už posūkio automobilius, pasirodžiusius kelyje, besiartinančius.

Tą nervingą akimirką, tarsi ištisą kančios valandą, sparčiai kūriau mintyse pasiteisinimo istoriją. Vilkstinės priekyje važiavo aiškiai paženklintas policijos automobilis. („Pareigūne, aš laukiu draugo! – repetavau, ką sakysiu. – Taip, žinoma, tikrai jam nederėjo čia palikti mašiną. Bet jam pasidarė bloga. Svaičioju?! Ką svaičioju, pareigūne?!“)

Norėjau iššokti laukan ir pasislėpti už gyvatvorės, bet neregimas svarstis prislėgė man galvą ir neleido pakilti nuo sėdynės.

Pirmame automobilyje sėdėjo du uniformuoti policininkai. Čia pat iš paskos važiavo greitoji pagalba, o paskui ją dar viena policijos mašina ir motociklininkas. Žydruosius žybsnius jie išjungė. Stebėjau vilkstinę akies krašteliu ir troškau būti chameleonas, gebantis susilieti su aplinka. Greitoji pravažiavo, ir policija, ir motociklas. Manęs lyg ir nepamatė. Laukiau. Ir dar palaukiau. Gilus ir lėtas atodūsis išsiveržė man slopia palengvėjimo aimana. Jie nuvažiavo.

Išplėšiau raktelį iš uždegimo spynelės ir likusį kelią įveikiau bėgte.

Greitoji? Du policijos automobiliai ir motociklas? Kas čia, po galais, atsitiko, lyg baisių naujienų dar būtų negana, ir nuojauta man sakė, kad kažkas yra sunkiai nukentėjęs. Gal Lukas? Bjauri mintis. Kai jis šitiek gero man yra padaręs, kai jis toks kilnumo įsikūnijimas, jeigu jis, tas mano vienintelis draugas, nukentėjo, tai būtų tikras siaubas. O jeigu jis nebegyvas? Nuo šios minties pajutau tikrą fizinį skausmą, giliai giliai. Bėgau ir tetroškau tik pamatyti Luką, tetroškau visai su juo nebesiskirti. Prisiminiau visus gerus jo darbus, kaip slaugė mane sergantį, pakėlė mane nuo dugno, maitino, kaip protingai su manimi kalbėjo, dėl manęs pardavė savo reindžroverį. Taip skausmingai troškau jį pamatyti, stovintį viduryje kelio, besišypsantį, sveikutėlį.

– Lukai! – pašaukiau, bet atsiliepė vien tik ankstyvieji rytmečio paukšteliai.

Atbėgau ten, kur buvome pastatę automobilį, ir, mano juodžiausiam, niūriausiam nerimui, neradau nė gyvos dvasios. Uždusęs, gaudydamas orą, atsisėdau ant žolės ir susiėmiau rankomis galvą. Jo nebėra gyvo. Štai kas. Greitoji išvežė jį, ir štai kodėl ji nelėkė su sirenomis, nebebuvo prasmės, vežė Luką nebegyvą, ir aš dabar vėl esu vienas.

– Danieliau! – iš nežinia kur atsklido Luko balsas.

Pašokau ant kojų. Jis stovėjo viduryje kelio ir žiūrėjo į mane. Tarsi vaiduoklis, galįs išnykti lygiai taip pat staiga ir tyliai, kaip ir atsirado, ištirpti ore ir išgaruoti su vėjo dvelksmu.

– Lukai, tu?!

– Kur buvai, Danieliau?

Pripuoliau prie jo, apkabinau, apčiupinėjau norėdamas įsitikinti, kad jis tikras, iš mėsos ir kaulų. Jis buvo ne tik tikras, jis buvo dar ir drėgnas.

– Ar lijo? – paklausiau.

Jo marškiniai buvo permirkę. Įsiskverbė žvilgsniu man į akis.

– Pamaniau, kad tu davei į padus su pinigais ir automobiliu!

Lukas neatrodė piktas, tiesiog jam buvo gera matyti mane, kaip ir man jį.

– Lukai, prisiekiu savo motinos akimis, aš nieku gyvu šitaip su tavimi nepasielgčiau. Garbės žodis, nieko pikto tau nepadaryčiau!

Mano rankos buvo raudonos, tos vietos, kuriomis prisiliečiau prie Luko tapšnodamas ir apkabindamas. Atidžiai pasižiūrėjau į kraują, kliuvusį man nuo Luko, o tada į jį.

– Ant manęs buvo užšokę trise.

Jis pasakė tai neįprastai tyliai, keista jo balso gaida man dar nebuvo girdėta. Jis sukrėstas. Jo abi rankos per visą ilgį supjaustytos. Nužvelgiau Luką nuo galvos iki kojų, gniauždamas išgąstį.

– Važiuojam į ligoninę!

Iškėlė ranką mane tildydamas:

– Padėk nueiti iki mašinos. Nešdinamės iš čia. Visur knibždėte knibžda farų. Juk aiškintis nenorėsi. Ar ne?

* * *

Pralietas kraujas paprastai išsitaško visur.

Čiupau vairą ir pavariau mašiną lauko keliu, kol privažiavome pamiškę ir išgirdome vandens čiurlenimą. Čia veržėsi gili sparti srovė. Atokiai nuo kelio, slypinti už plačios medžių sienos. Jaučiausi nešvarus. Nusirengiau upelio pakrantėje. Lukas atnešė iš bagažinės krepšį su savo švariais drabužiais. Kraujas jam buvo permerkęs marškinėlius ir džinsus, man odą buvo padengęs įspūdingomis rausvomis dėmėmis ir siaubingai žėrėjo. Lukas, primygtinai siūlydamas imti švarių drabužių, mažai tekalbėjo, iki pat mums vėl įlipant į mašiną. Teaiškino:

– Papasakosiu vėliau!

– Bet kas gi ten atsitiko? Ar tau nieko baisaus? O ar žinai, ko čia buvo greitoji?

Galų gale nutilau. Jam visai nepatiko, kad klausinėju. Atėjo mano eilė pasirūpinti juo.

Skalaudamasis srovėje marškinėlius, buvau apžavėtas siaubingo reginio vandenyje, kai jis ėmė nešti rausvus kraujo debesis.

Nirau visu kūnu į lediną šaltį, dar kartą, dar, jam smelkiantis iki kaulų, kupinas ryžto nusiplauti visas kraujo dėmes nuo krūtinės. Drebėjau ir kosėjau, ir mane sugriebęs šaltis tarsi ištraukė iš plaučių orą, bet to nepaisiau, turėjau tapti švarus.

Lukas sumetė į krūvą kruvinus drabužius ir ėmė vilktis švariais. Rankų įpjovos atrodė tik kaip brėžiai po daugelio valandų. Raudonus randus lyg aptraukusios plonos kraujo plutelės. Baisiausios tai buvo labai tamsiai raudonos dėmės nuo gerklės iki pat kelių. Bet įpjovos neatrodė tokios gilios, kad iš jų būtų prižliaugę šitiek kraujo. Tas kraujas ant odos aiškiai buvo kažkieno kito.

Pasižiūrėjau Lukui į akis – svajingas mėlis, kaip vasaros dangus, kažkas migloto. Nepaprastai troškau, iš paskutiniųjų vyliausi, kad tik jis neišsikraustytų iš proto dėl kokio ten potrauminio streso.

– Ar viskas gerai, Lukai?

– Aš visas kruvinas.

Man rūpėjo, kieno tas kraujas. Lukas lyg ir sugrįžo į tikrovę, susivokė, kur esąs ir kas esąs.

– Danieliau! – tarė taip, lyg būtų ką tik mane išvydęs.

Žengė į pačią srovę ir atsiklaupė, saujomis pylėsi ant galvos vandenį ir drebėjo iš šalčio. Aš tryniausi odą atgaliomis plaštakomis ir grandžiau nagais, bet raudonas kraujo atspalvis lyg ir nenyko. Išsiroviau pakrantės žolės, tryniausi krūtinę šiurkščiomis šaknimis ir žeme, be paliovos tyliai klausinėdamas savęs: „Kieno tas kraujas?" Lyg skanduodamas stadione.

Lukas nuropojo palei srovę kur giliau ir atsisėdo žiūrėdamas į mane. Vanduo virto per jį lyg per uolą, įsitvirtinusią dugne, raitėsi virš kūno linkių.

– Ar nenori paaiškinti, Lukai?

– Ten buvo siaubas.

Jis visai paniro, o po akimirkos vėl sėdėjo ir žvelgė į mane, vėrė žvilgsniu lyg tirdamas, ar galėtų manimi pasikliauti, ir pagaliau prabilo:

– Išėjau maždaug, nė nežinau... tikriausiai buvo kokia antra ryto. Ten pasidarė taip karšta. Lauke buvo tamsu, aš tiesiog sėdėjau ant žolės prie palapinės, kažką pats sau mąsčiau, ir priėjo vyrukas paprašyti ugnies. Pasakiau, kad nerūkau, ir jis nuėjo sau. Tada, kaip prisimenu, iš kažkur atskriejo akmuo ir pralėkė va per šitiek nuo mano galvos, ir bumbtelėjo tiesiog priešais. Pamačiau trijulę. Tą vyruką, kur prašė ugnies, ir du jo draugelius. Trise tekini lėkė į mane. Šokau ant kojų ir sprukau, bet buvo tamsu nors į akį durk, persigandau...

Nutilo, pasilenkė ir panardino veidą ir visą galvą į vandenį. Paskui veidas išniro, ir Lukas dėstė toliau:

– Nešiau padus taip, kad, maniau, tuoj nugriūsiu, nebeišsilaikysiu ant kojų, ir girdėjau, kaip jie jau lipa man ant kulnų, juokiasi ir vadina bjauriausiais vardais. Užuodžiau juos – jų prakaitą, odą, pigų skutimosi losjoną ir cigaretes, ir tarsi jutau, kaip jau tiesia į mane rankas ir tuoj palies nugarą. Griuvau. Pasitaikė žemėj kažkoks nelygumas, duobutė, virtau kūliais, ir du iš jų, už manęs užkliuvę, užvirto iš viršaus. O trečias ne, tai tas ėmė mane spardyt, bet aš atsistojau – nė nežinau kaip – atsistojau ir paleidau į darbą kumščius ir kojas. Tada vienas iš jų sugriebė mane iš užpakalio ir nuvertė į tas, kaip ten, gervuoges ar kokius erškėčius, bet lyg pats trenkėsi galva į kažkokį akmenį, iš karto mane paleido, išsijungęs liko gulėti, be sąmonės. Bet kiti du jau buvo ant kojų ir ėmė spardyti, neleido atsikelti. Tikriausiai tada ir susiraižiau rankas, kai buvau nuverstas į gervuoges.

Įtraukė į burną vandens, pasiskalavo dantenas ir išspjovė rausvą skystį.

– Aš ir vėl atsistojau, Danieliau. Juodu stovėjo iš abiejų pusių ir šaukė: „Krisai, Krisai, tu gyvas, Krisai?“ Turbūt šitoks buvo jo vardas – Krisas, – to, kuris prisitrenkė. Žinai, ką aš jiems pasakiau, Danieliau? Aš pasakiau: „Ar Krisas? Taigi jisai gatavas, pribaigtas. Kurio eilė dabar?" Supratau, kad vienas išsigando, bet kitas dar labiau pasiuto.

– Šokau ant to pasiutusio. Nepaisiau jo kojų nei kumščių, šokau tiesiai ant jo, su galva tiesiog jam į snukį, iš visų jėgų dėjau su kaktos kietuma. Išgirdau pataikęs į nosį ir pajutau... – Parodė į savo krūtinę, kur buvo drėgnas kraujo sluoksnis. – Čia man sutepė viską! O kitas tipelis pabėgo, tai aš puoliau malti to, kuriam dėjau su galva.

– Ar buvo nugriuvęs? – paklausiau. – Ar ant žemės?

– Čia jau buvo visai kas kita negu iš pradžių, kai puolė trise iš karto. Su jais buvo baigta... Tas meldė pasigailėti. Norėjau nudėt. Bet atitokau, Danieliau.

Jis visai nutilo. Kiek įstengiau, apsišluosčiau su žole ir lapais, apsivilkau švariais drabužiais, Luko atneštais iš mašinos, nenumanydamas, ką pasakyti, apsvaigęs nuo jo pasakojimo.

– Kaip dabar jautiesi?

– Jaučiuosi siaubingai. Jaučiuosi purvinas. Ir man skauda.

Kai jis atsistojo ant kranto ir ėmė vaikščioti, džiovindamasis tyrame ore, iš užpakalio pamačiau, kad kojos ir rankos nusėtos mėlynų ir raudonų dėmių. Atsisėdo ant upelio kranto ir žiūrėjo į saulės spindulius, žibančius besiplečiančiuose vandens ratiluose. Susiėmė rankomis veidą ir ėmė kūkčioti:

– Maniau, kad mane užmuš.

Atsisėdau greta ir apkabinau ranka jo trukčiojančius pečius.

– Tu tik gyneisi. Trys prieš vieną. Bjaurūs niekšeliai gavo, ko nesitikėjo.

– Tai nemanai, kad aš nedorėlis? – paklausė liūdnai, dvejodamas.

– Lukai, čia buvo savigyna. Ką gi turėjai daryti? Gulėti, kad užspardytų negyvai?

Įbrukau jam į rankas drabužius ir atsistojau:

– Nagi, Lukai, vilkis drabužius! Stokis ir apsirenk!

Jis apsimovė trumpikes ir apsivilko marškinėlius.

– Jie ne tavo bėda, Lukai. Mesk juos iš galvos!

– Turiu tau kai ką pasakyti, – tarė Lukas. – Kai ką negero.

Sulaikiau kvapą.

– Aš tam vienam labai smarkiai paspardžiau galvą, Danieliau! Ir pašokinėjau ant snukio.

Nenorėjau išgirsti, bet turėjau paklausti:

– Daug kartų? Kiek kartų jam spyrei ir kiek kartų užšokai ant galvos ir veido? Daugiau negu po kartą?

Lukas linktelėjo, užsisegiodamas džinsus.

– Po šešis ar septynis kartus.

– Ir kas tave sulaikė?

– Mano motina!

– Atleisk, Lukai.

Įsistojau į sportbačius, vis labiau susirūpinęs, bet to neparodydamas.

– Iš tikrųjų tai nelabai suprantu, ką tu sakai.

– Prisimeni, klausei manęs apie kompensaciją iš Kriminalinės žalos komisijos? Mama... Ją nužudė trys vyrai, uždaužė negyvai dėl penkiolikos svarų, jos turėtų piniginėj. Užmušė dėl penkių svarų kiekvienam. Ir aš prisiminiau ją, taip staiga, kai... jį spardžiau, ir nepanorau tapti toks pat baisus kaip tie, kurie ją nužudė.

Iš pradžių nelabai atkreipiau dėmesį. Pasižiūrėjau į jį ir pirmą kartą išvydau visiškai kitaip.

– Mano mama, – pasakė Lukas, – su manim, na... Mudu vėl kalbėjomės vos kelis mėnesius. Buvom susipykę, pasprukau iš namų, bet grįžau ir susitaikėm. Ėmėm sutarti kaip niekad, ir tada...

Lukas nutilo, ėmė rištis sportbačių raištelius. Jis verkė. Tyliai, ilgai. Sunkios ašaros ritosi skruostais.

Mačiau, kaip jam negera, ir troškau pagelbėti, mačiau, koks jisai įskaudintas, ir troškau padėti jam nusiraminti. Neatrodė, kad jis vien gailisi savęs, atrodė, kad jis smarkiai užgautas, bet vis tiek sugeba būti mielas ir geras, ir protingas, nors ir kankinamas gyvenimo. Prieš save mačiau nuostabiausią žmogų, kokį tik buvau kada sutikęs.

– Aš... atsiprašau, Lukai.

– Turi man padėti, Danieliau. Jaučiuosi gerokai sudaužytas dėl viso šito. Būk geras, tiesiog padėk man, nepalik manęs, kol aš vėl susiimsiu.

– Žinoma, padėsiu tau, Lukai. Kad ir kas nutiktų, mudu viską atlaikysim drauge. Mudu nesiskirsim.

– Ar pavairuosi dabar? – paklausė rinkdamas nešvarius ir šlapius drabužius.

Slapčia žvilgtelėjau į savo juodus marškinėlius ir supratau, kad sunku pasakyti, ar gerai nusiplovė kraujas. Atsisėdau prie vairo palaukti, kol jis sugrūs drabužius į bagažinę.

– Turėsi man padėti, Danieliau, – pasakė jis, prisėdęs greta.

– Laikyk mane savo broliu, – patikinau. – Laikyk tokiu.

– Gerai, laikysiu broliu, – atsakė. – Danieliau, aš myliu tave, myliu kaip brolį.

Užvedžiau „Eskortą“ ir lėtai išvažiavau į tuščią kelią. Jutau jo žvilgsnį, besiskverbiantį gilyn į mano smegenis. Jis laukė, kad aš prabilčiau.

– Taip, Lukai, žinoma. Ir aš tave myliu lygiai taip pat.

13

Pražiopsojau, nebėra degalų

Lukas užmigo kaip negyvas, jo galva nulinko į priekį, kvėpavimas aprimo, visa esybė sustingo. Pro vartus įsukau į pievą, pilną avių, ir išjungiau variklį. Jau imdamas už durelių rankenėlės, nustebau išgirdęs Luko balsą.

– Kur tada buvai išvažiavęs? – paklausė atsimerkęs ir palietęs mano ranką. – Kur? Kur buvai išvažiavęs? – pakartojo klausimą.

– Kelias valandas važinėjausi. Trumpinau laiką, kol laukiau. Tai ir važinėjausi. Pats vienas.

– O! – tepasakė ir vėl užsimerkė, užmigo ramiu miegu. Įjungiau variklį. Man buvo neramu. Norėjau važiuoti toliau. Turėjau veikti. Privalėjau.

* * *

Mums jau gerokai pavažiavus nuošaliu keliu, „Eskortas" sukėlė didelį nerimą. Jis paleido kelis didžiulius kamuolius troškių dūmų ir smarkiai sučiaudėjo pro išmetamąjį vamzdį. Tikėjausi, jog nieko labai rimto mašinai nenutiko, bet pajutau, kad kratomės tarsi vaikišku vežimėliu per grindinio akmenis. Lukas nubudo ir smalsiai apsidairė. Variklis ėmė springti, trūkčioti, pagaliau nustojo drebėjęs, ėmė ir užgeso.

– Neblogai tu naktį pasivažinėjai, – Lukas patapšnojo prietaisų skydelį. – Pažiūrėk. Nebeturim benzino.

– Ar neturim ir bagažinėj, kanistre? – pasidomėjau vildamasis sumažinti bėdą dėl savo neapdairumo.

Lukas papurtė galvą.

– Ne!

Akimirką sėdėjom tylėdami, žvelgdami į platų ir mielą akiai slėnį.

– Gražus reginys, – tarė Lukas, visiškai nesusijaudinęs dėl to, kas nutiko.

Kostelėjau ir pasakiau:

– Atsiprašau.

– Pasitaiko visiems, – švelniai paramino Lukas, nežiūrėdamas į mane, žvilgsniu ir mintimis pasinėręs į platų peizažą. – Žinai, kai atsiduri toli nuo miesto, už daugelio mylių, tai reginiai tiesiog fantastiški.

– Tai aš eisiu paieškoti, gal kur gausiu kuo pagirdyt variklį!

Bet Lukas paprieštaravo:

– Eisiu aš. Noriu pasivaikščioti, pravėdinti smegenis ir atsigauti.

– Atsiprašau, Lukai.

Išlipo ir pasirąžė visu kūnu, grakščiai kaip katinas, nors atrodė kažkoks vyresnis, niūresnis, santūresnis.

– Lukai, užjaučiu dėl mamos. Tau tikriausiai buvo siaubinga.

– Tai jau taip.

– Manau, kad tu tikrai narsiai atlaikei.

– Manau, kad neturėjau kitos išeities, Danieliau. Ką gi, greit pasimatysim.

Stebėjau Luką nueinantį už posūkio, žvilgtelėjau į degalų lygio rodiklį ir sunkiai atsidusau. Paėmiau kamerą, ištraukiau vaizdajuostę, prifilmuotą toje orgijoje, ir įkišau kitą, su savo užrašu „Žebenkštis ir kt."

Pridėjau akį prie objektyvo. Nė minties neturėjau žiūrėti, ką esu nufilmavęs, vis dėlto, taip sėdint ir nieko neveikiant, smalsumas didėjo. Spustelėjau paleidimo mygtuką, ir man tarsi skruzdės ėmė bėgioti per nugarkaulį.

Garso nebuvo, bet iš karto išvydau pirmuosius vaizdus. Žebenkšties autobusas, dardantis autostrada, kartu ir toks tolimas kaip žila praeitis, ir toks artimas kaip spartėjantys mano širdies tvinksniai.

– Čia juk tik filmas, – sakiau pats sau.

Bet nebuvo čia vien tik filmas. Man atsiskleidę vaizdai buvo mano asmeniniai prisiminimai. Mano minčių šešėliuose tetūnoję reginiai iškilo į išorinio pasaulio dienos šviesą.

Besisukant juostai pajutau, kad veikiai pamatysiu dalykų, kurie mane sutrikdys. Naujausi mano prisiminimai nebebuvo privatūs. Kam tik paklius ši juosta, tam atsivers atsparus bet kokiam melui kelias į pat mano smegenis.

Juostai besisukant, man tarsi perbraukė per smegenis kokia ledinė ranka.

Užpakaliniame aplamdyto autobuso lange šypsojosi gyvas ir sveikas Kailas.

14

Filmuoti prisiminimai

Kailas man šypsojosi.

Jis šypsojosi ir mojavo man iš anapus, per du sluoksnius stiklo: pro kameros peržiūros langelį ir pro purviną užpakalinį autobuso langą. Ištraukiau kasetę ir nukreipiau žvilgsnį į tolius. Pasičiupinėjau veidą ten, kur man Kailas įspyrė savo maža kojyte, ir vyliausi, kad gal jis nekentėjo, gal nelabai suprato į kokį pavojų įkliuvęs, kad gal jau neturėjo sąmonės, kai prasidėjo žiaurumai.

Atsukau juostą atgal ir vėl žiūrėjau, kaip jis man šypsosi, moja, patiklus vaikas, besistengiantis būti draugiškas. „Užtektų žmonėms vien tik šitą pamatyti, – pagalvojau, – ir sugautų žudiką per kelias valandas."

Pamažu man galvoje ėmė įsijungti šviesos, ir aš jau sėdėjau pasitempęs. Čia, mano rankose, patys paskutiniai prieš mirtį, prieš nužudymą, Kailo atvaizdai. Aš turėjau vaizdajuostę, kuri tikriausiai padėtų policijai tirti nusikaltimą. Tėtis amžinai aiškindavo, kokia svarbi šitokiems nusikaltimams atskleisti yra televizija. Užtektų žmonėms tik pamatyti! Gal kas nors ką nors staiga prisimintų. Ir tikrai Kailas kaitintų žmonėms mintis ir žmonės pasišautų neduoti išsisukti tam šunkarai, kuris šitaip padarė.

Atsikračiau baimės tarsi šlykščios, dusinusios odos. Sėdėdamas pajutau, kaip augu. Vėl atsukau juostą žiūrėti iš naujo. Apgailestavau paleidęs iš rankų tą laikraštį „Mažajame virėjuje“. Nusprendžiau, kad kai tik mums pasitaikys koks nors spaudos kioskas, tai nieko nelaukęs čiupsiu visus laikraščius! Juk tikrai rasiu svarbių įvykių skyrių telefonus.

Spusčiojau „persukimą į priekį“, kol priėjau vietą, kur Žebenkštis iššoka iš autobuso, ir – nuostabu – juostoje tas žmogus atrodė dar bjauresnis nei tikrovėje. Kadrai išbluko, o paskui nušvito kitos dienos rytas, kai filmavau Žebenkštį bundantį iš neilgo miego. Kadrai vėl baigėsi, o tada – nelabai prisiminiau filmavęs – neilgas epizodas, kai skustagalvė Kailo mama bėga paskui mus, ištikta isterijos priepuolio. Prisiminiau. Pagalvojau, kad ji lieja įniršį tarsi kažką praradusi.

Atsukau atgal ir įsižiūrėjau. Čia buvo kai kas daugiau. Akylai stebėjau. Filme ji tebuvo mažytė ir dar vis mažėjanti figūrėlė, bet ryškumo pakako. Ją užgriuvęs sielvartas. „O, Viešpatie!“ – sušnabždėjau staiga supratęs, kad esu nufilmavęs tą akimirką, kai ji pasigedo savo vaiko. Pažiūrėjau dar kartą. Atkreipiau dėmesį į užfiksuotą Luko veidą iš šono, kai filmuodamas perėjau į artimą planą. Kadrai baigėsi Luko akių atspindžiu užpakalinio vaizdo veidrodėlyje, kai jis žiūri į sutrikusią moteriškę, nykstančią tolumoje.

Staiga tamsa, bėgančios baltos juostos su šnypštimu, o paskui lapių medžiotojų sambūris ir Katiliukas – ponas Parkinsonas. Sustabdžiau. Buvau užfiksavęs, kaip Lukas trenkia Parkinsonui su beisbolo lazda, toje pačioje juostoje, kur Kailas šypsosi autobuso užpakalyje ir mama jo pasigenda.

Greitai atsukau atgal visą medžioklę ir sustabdžiau kadrą su vaizdu prie „Katino ir smuiko" užeigos. Spustelėjau paleidimo mygtuką. Juostai sukantis, lėtai keitėsi vaizdai. Bažnyčia kitapus kelio priešais aludę, šešėliai tarp šių dviejų pastatų, užeigos durys, kurios vis uždaros, o paskui staiga atsilapoja, ir Parkinsonas, girtutėlis, nusvirduliuoja gatve.

„Čia sapnas... Baisus baisus sapnas..." – išgirdau nežinia iš kur atsklidusį Parkinsono balsą. Apsižvalgiau, bet per kelias mylias aplinkui nieko nebuvo, ir pagalvojau, jei girdžiu šį balsą, ar man tik neprasideda priepuolis. Ir prisiminiau pasakojimą apie garsų epileptiką šventąjį Paulių, kaip girdėjo jis balsus ištiktas priepuolio kelionėje į Damaską, vykdamas nukryžiuoti ir daužyti jam nepatinkančiųjų.

Paspaudžiau peržiūros mygtuką. Parkinsonas nė nenumanė, kad sekame paskui. Svirduliavo patenkintas, tai šaligatviu, tai gatve, o mes vis artinomės, artinomės. O kai pasisuko, tai jam besisukant kadre pasimatė kraštas beisbolo lazdos, trenkiančios į galvą. Sustabdžiau kadrą su Parkinsono veidu, iškreiptu sukrėtimo ir skausmo, kai jo katiliukas sklendžia nuo pakaušio kaip juodas debesis. Spustelėjau paleidimo mygtuką. Mes važiuojame pro jį, jo nebėra kadre, čia siena, trumpas kadras su „Katinu ir smuiku", o paskui tikriausiai kamera man iškrito ant grindų. Juosta sukosi, bet filmavo reindžroverio grindis. Tada aiškiai kamerą pakėlė Lukas. Nufilmavo, kaip aš iššoku ir pasileidžiu tekinas paimti katiliuko, riedančio aplink Parkinsono galvą. Aš atlaisvinau jam gerklę, bet čia atrodo taip, tarsi jį smaugčiau, ir man dabar kaito pakaušis matant, kaip aš su koja verčiu Parkinsoną ant šono. Įkliūva batas... Kai pasilenkiu paimti katiliuko, atrodo, tarsi kita ranka smogiu jam į veidą. Pažvelgiu aukštyn. Lukas priartino mano veidą.

Žiūriu tiesiai į kameros objektyvą, iš akių atrodau lyg baisiai persigandęs, lyg nepaprastai linksmas. Atitolino vaizdą, aš vis dar pasilenkęs prie kūno, rankoje katiliukas, Parkinsonui iš pakaušio sunkiasi kraujas, ir paskui tamsa. Lukas manęs nebefilmavo.

Jei nebūčiau žinojęs, kaip ten tą naktį iš tikrųjų viskas dėjosi, tai būčiau sakęs, kad užpuolikas esu aš. Nesimato, kas užsimoja lazda, tik kaip aš terliojuosi su kūnu, vagiu katiliuką ir iš akių atrodau taip, tarsi man ne viskas gerai galvoje. Įdomu, kaip čia pasirodytų visiškai nieko nežinančiam, tarkime, kad ir vadovaujančiam bylos tyrimui vyriausiajam kriminalinės policijos inspektoriui?

Man smegenyse suspurdėjo įtarimas, kaip tikram policininko sūnui, ar Lukas tik nenori manęs pakišti, ar Lukas nepasistengė, kad atrodytų taip, lyg Parkinsoną užpuoliau aš. „Nesąmonė“, – pasakiau sau. Juk Lukas – mano geriausias, vienintelis draugas šiame pasaulyje. O aš toks greitas galvoti apie jį negražiai. Taigi kažkas negerai su pačiu manimi. Juk Lukas – puikus vaikis, geriausias, kaip buvau sau taręs, mano draugas, kuris nepaprastai oriai kentėjo ir davė man viską, nieko už tai nesitikėdamas.

Apniko bjaurios mintys, bjaurūs įtarinėjimai, kai ėmiau galvoti apie Luką, tą, kuris mane myli, kuris yra tikras mano draugas, mano brolis, kokio niekada neturėjau.

Betgi Luką pažinojau vos kelias dienas.

* * *

Jis grįžo po dviejų valandų ir atnešė ne tik pilną metalinį kanistrą benzino, bet ir pilną plastiko maišelį sumuštinių ir vaisių. Labai savimi patenkintas, švytintis laime, supylė visą benziną į baką.

– Pavalgysim ir keliausim, a?

Nesuprantu kodėl, bet jo veido išraiška vis dėlto mane suerzino.

Jis apžvelgė slėnį ir uždainavo. Ar dėl tos dainos, ar dėl jo dainavimo manieros pasijutau taip, lyg kažką mušćiau. Mano nervai įsismarkavo tarsi uragano vėjai, todėl užsispaudžiau ausis ir meldžiau Aukščiausiąjį, kad Luką užčiauptų.

Jis pažvelgė į dangų, kur debesys nuslinko nuo tviskančios saulės, ir ištiesė ranką keturiasdešimt penkių laipsnių kampu, tarsi saliutuodamas dangui, prisidengdamas akis nuo akinamų spindulių.

– Danieliau, kaip gera gyventi. Ar ne?

Vėl uždainavo tuos pačius žodžius, ir atkreipiau dėmesį, kad labai panašiai, kaip buvau girdėjęs kai kurias dainas dainuojant per televiziją.

– Lukai!

Jis manęs neišgirdo, niūniavo žiūrėdamas į dangų.

– Lukai! – šūktelėjau kiek garsiau, smarkiau.

– A?

Dar nemačiau jo šitokio laimingo. Jo nerūpestingumas trenkė į pat mano nerimo žaizdrą, sujudino karštas anglis ir padidino karštį.

– Iš kur ši melodija?

– Nežinau... Kažin kur pasičiupau.

– Taip, na, skamba gal ir ne visai taip. Gražu!

Prisėdo prie manęs mašinos priekyje ir ėmė valgyti sumuštinį.

– Tas ūkininkas su pačia, – prabilo Lukas, – davė man benzino ir paklausė, ar nenoriu ko nors užvalgyti. Pasakiau, kad mudu dviese. Žmogaus prigimtis gali būti tokia nuostabi. – Jis įspraudė man į ranką obuolį. – O ką tu ten sakei, kad ne visai taip?

– Ar nenumanai, iš kur ta daina?

– Ne. Tiesiog gražiai skamba. Kai sugenda nuotaika, tai man ją pakelia, o kai nuotaika puiki, tai skamba lyg meilės daina tiesiog man pačiam ir visai mano ateičiai.

Dar užvalgė ir paklausė:

– Kodėl sakai, kad „skamba ne visai taip“?

Jis mane pamėgdžiojo, ir įspūdis buvo neapsakomas, visai kaip tada, kai mėgdžiojo Parkinsoną. Aš sudvejojau ir nieko nepasakiau.

– Danieliau!

– Ai, nesąmonė, Lukai. Dainuok, ką tik nori. Man tik pasirodė. Dainuok, kas tau patinka.

– Ar jautiesi gerai? – pasiteiravo.

– Puikiai, – atsakiau, be jokio apetito kąsdamas obuolį.

– Klausyk, aš kai ką apmąsčiau. Važiuojam į Londoną. A? Ką manai?

– Bet argi tu nebuvai nusistatęs prieš?

– Aš buvau nusistatęs prieš, kai norėjai važiuoti į Londoną pats vienas, Danieliau. Bet kas kita važiuoti mums abiem, ir dar su dvylika tūkstančių, visai kas kita. Nusipirksim naujų drabužių, susirasim kur gyventi ir... – aiškino net springdamas, – šauniai leisim dienas, bus viršūnė! Susirasim butą, darysim pinigus ir kasdien duosimės vis su kitom panom.

Ar jis rimtai? Pasižiūrėjau į jį atidžiai ir pamačiau, kad jis lyg ir nuoširdus. Pagalvojau, kad tikriausiai čia bus pavėluota reakcija į sukrėtimą, kurį buvo patyręs, kai susidūrė akis į akį su mirtimi. Užgniaužiau troškimą pasakyti jam, kad užsičiauptų, ir pabandžiau prisiminti visą bjaurastį, kokia tik jam teko, ir pamėginau sukaupti širdyje bent kiek draugiškumo.

Jam besistengiant pasiūlyti man kokią nors ateitį, aš tenorėjau vien tik permąstyti praeitį, taigi sunku buvo jausti ką nors daugiau nei gryną susierzinimą, nes tratėjo jis truputį per daug įsikarščiavęs ir nei šį nei tą liežuviu beldė.

– Ką pasakysi, Danieliau?

Laikiau apsikabinęs kamerą, tarsi susirgusį ir mirštantį augintinį, ir atsakiau kuo mandagiausiai:

– Ačiū, Lukai. Bus puiku.

* * *

Lukas vėl sėdėjo vairuotojo vietoje ir, atidaręs langus, traukė roko balades drauge su radiju. Jis buvo laimingiausias pasaulyje vaikinas, nors jo nuotaika, juokas nebuvo užkrečiami. Priešingai, dar labiau grimzdau į juodąją skylę, tvyrančią aplinkui mane.

Aš taip norėjau atiduoti vaizdajuostę policijai, bet buvo problema dėl Parkinsono. Apsisprendžiau. Nenumaniau, kaip pradėti kalbą su Luku, bet jaučiausi toks kupinas įtampos, kad turėjau susiremti su reikalu kaktomuša.

– Manau, kad tau derėtų kai ką pamatyti, – pasakiau.

– Ką tokio?

Išjungiau radiją. Važiavome jau geresniu keliu ir dairėmės, kur pasukti į autostradą.

– Kur galėsi, sustok šalikelėj.

„Kur galėsi, sustok šalikelėj!" – tarsi girdėjau savo balsą aidint iš svetimo kūno, kaip siaubo filmo specialųjį efektą.

– Nepatinka man šitaip. Būk geras, nebedainuok, – paprašiau.

– O, kada tu pralinksmėsi, Danieliau!

Tylėjau. Jo nepaliaujamą linksmumą darėsi vis sunkiau pakęsti. Sunku buvo jį suprasti, turint galvoje, kad naktį jo vos neužmušė, kad jis vos išsikapstė, perbridęs kraujo klanus. Bet gal čia ir paaiškinimas, ko jis toks linksmas. Naktį ištrūko iš mirties nagų. Šiandien jis gyvas. Rytojus – apie tai nepavargsta dainuoti – priklauso jam, nuo rytojaus jisai gyvens ilgai ir laimingai.

Atsukau juostos pradžią ir padaviau jam kamerą.

– Noriu, kad pasižiūrėtum. Ir noriu apie tai pasikalbėti.

Nusišypsojo ir nunarinęs galvą ėmė žiūrėti juostą. Žiūrėjo labai tyliai. Nejudėjo, visai niekaip nerodė, kaip reaguoja, tiesiog sėdėjo užgulęs kamerą, įsigilinęs į nufilmuotus kadrus.

Man gerokai palaukus, minutėms nesiliaujant byrėjus lyg į guminę valandą, Lukas pakėlė akis ir paklausė:

– Na, tai apie ką tu nori pasikalbėti?

Apstulbau. Apstulbau ir pajutau, koks smarkus mane apima pyktis. Jis atsilošė ir nusišypsojo. Jam nieko. Giliai įkvėpiau ir susiėmiau. Kalbėjau lėtai, be emocijų.

– Ar matei, kas vaizdajuostėj?

Linktelėjo, bet atrodė visiškai nenumanantis, kur kreipiu mintį.

– Ten Kailas! Neabejotinai paskutiniai užfiksuoti jo gyvenimo kadrai!

– Tikriausiai, – sutiko.

– Ir ten Kailo mama, aiškiausiai supratusi, kad jis dingęs.

– Siaubingai liūdna, – atsiduso Lukas. – Koks nuostabus dalykas filmavimo kamera. Pagauni tikrą gyvenimą, koks jis yra, su visais džiaugsmais ir nelaimėmis. Įsidėmėk, vaizdajuostė negali meluoti!

„Dar ir kaip gali, – pagalvojau, prisiminęs epizodą su Parkinsonu. – Dar ir kaip gali, ponas režisieriau Frijersai!"

Tyla. Ilga įtampos kupina tyla.

– Ką tu šituo nori pasakyti, Danieliau?

– Aš manau, kad turim atiduoti juostą policijai!

Pratrūko kuo garsiausiai kvatoti, pliaukšėdamas per kelius taip smarkiai, kad net sudrėko delnai. Jo juokas stiprėjo nebesutramdomas, tarsi akyse augantis pabaisa, darėsi vis galingesnis su kiekvienu beprotiško kvatojimo garsu. Jį pagavo nesveikas grynas džiaugsmas.

– Oi, kaip tu mane prajuokinai! Čia tai geras! – ėmė klykti vos atgaudamas kvapą.

Galų gale, praslinkus ilgam bandomajam laiko tarpui, nusiramino ir nusišluostė akis, pasitrynė įskaudusius veido raumenis.

– Bet akimirksnį, tikrai menkutį akimirksnį, Danieliau, pamaniau, kad tu rimtai.

– Aš rimtai!

Jis tarsi vaikas išpūtė akis. Pasižiūrėjo į mane atidžiau ir ėmė rauktis.

– Tu nori, kad eitume į policijos nuovadą ir įteiktume šitą vaizdajuostę?!

– Taip.

– Kodėl?

– Nes čia paskutiniai kadrai su Kailu, kai jis buvo gyvas, ir ten dar nufilmuota Kailo motina. Čia vertinga medžiaga tyrimui, gal padės kam nors ką nors prisiminti.

– Ne.

– Ką?

– Ne! – kirto susierzinęs, tarsi aš būčiau paikas ir sunkiai tramdomas kūdikis.

– Betgi filme gali būti kokia nors paprasčiausia smulkmena, kuri gal padės sugauti žudiką ir užbaigti bylą.

– Nebūk tu bukas.

– Visai aš ne bukas. Sudėtingiausi nusikaltimai paprastai atskleidžiami, kai surenkama šūsnis menkiausių smulkmenų! Tau arba man tai gal atrodytų ir niekai.

Išrietė liemenį ir sustingo. Pajutau galįs skaityti jo mintis. Tarsi šaukė: „Nebenoriu daugiau šito girdėti!“

Mano kantrybė dabar priminė pertemptą gitaros stygą, kai betrūko menkiausio galvutės suktelėjimo, kad perplyštų ir pliaukštelėtų pagal visus gamtos dėsnius. Susinėriau rankas ir suspaudžiau kumščius, nevalingai griešdamas krūminiais dantimis. Lukas, žvelgdamas tiesiai prieš save, dar labiau nugrimzdo į giliamintę tylą, vis niūresnis laikė įsitvėręs vairą.

– Tikriausiai žinau, Lukai, ką tu galvoji. Tau neduoda ramybės tas visas reikalas su Parkinsonu. Bet aš apmąsčiau. Jeigu atidžiai pasižiūrėsi, tai tu niekuo dėtas. Atrodo taip, tarsi jam tvojau aš. Esu pasirengęs prisiimti visą atsakomybę dėl to, kas nutiko.

– Betgi jis mirė, – pasakė Lukas ramiai ir atsisuko į mane. – Tu pasirengęs būti suimtas ir teisiamas, pasirengęs duoti parodymus dėl žmogžudystės? Ir vien dėl to, kad netyčia nufilmavai tą vaiką, kuris vėliau buvo nužudytas, ir tu *manai*, kad *galbūt* galėsi padėti policijai tirti nusikaltimą. Koks tu kilniadvasiškas.

– Jisai mirė?

Du žodeliai žiauriai kirto man per galvą, per širdį.

– Tikrai? – perklausiau. – Tikrai mirė? Lukai, tikrai mirė?

– Nežinau, Danieliau, ar jis mirė, ar ne. Bet kas gi bus, jei neturėsi laimės, jeigu jam pablogės ir jis nusibaigs?! Žmogžudys.

– Ne, Lukai, žmogžudys būsi tu. Aš tik sakau, kad noriu padėti policijai sučiupti tą niekšą, kuris nužudė Kailą. O jeigu jau man teks susidurti su tuo nemalonumu dėl Parkinsono, tai aš pasirengęs! Ko tu dar purtai galvą?

– Danieliau, turiu būti su tavimi sąžiningas. Man neramu dėl to, kaip tu reagavai į to vaiko mirtį. Buvai kažkoks... persimainęs. Keistas. Tarsi pats būtum įsivėlęs!

Pasižiūrėjo į mane priekaištingai, ir man pasidarė karšta, paskui vėl šalta. Na, juk jis tikrai nenori duoti suprasti, kad dėl ko nors įtaria mane!

– Ką tu nori pasakyti? – paklausiau.

Jo žodžiai sukėlė man nerimą, ir pyktis beveik atlėgo. Ką jis nori pasakyti? Jo žodžiai neapsiėjo be paslėptos prasmės ir man siaubingai nepatiko.

– Noriu pasakyti, kad elgiesi taip, lyg tas vaikas buvo su tavim susijęs. Leisk, aš tau priminsiu faktus. Susidūrei su juo, Danieliau, tik trumpai, labai trumpai. Aš ne mažiau kaip tu apgailestauju, kad jis šitaip siaubingai mirė, – nemanyk, kad tu vienintelis jauti tokį gailestį. Betgi tu, bičiuli, tiesiog per daug imi į širdį.

– Per daug imu į širdį?! – sušukau priblokštas ir jo žodžių, ir to, kaip juos ištarė, lyg aš būčiau futbolo aikštėj ginčijęs teisėjo sprendimą. Nusprenžiau nutilti ir leisti jam toliau varyti savo, pasiklausyti, kas ten dar dedasi jo galvoje.

– Tikrai per daug imi į širdį. Vaikus žudo visoj šaly, suprask, negyvai uždaužo namie, ir žudo juk visam pasauly. Užtenka tik įsijungti televizorių. Argi tu palūžti, vos tik pasižiūrėjęs dešimtos valandos „Žinias“? Argi skubi gedėti kiekvieno per dėžę parodyto iš bado mirusio mažamečio afrikiečio?

Tylėjau. Jis kalbėjo toliau:

– O tu juk pasirengęs sėdėt už grotų, kad tave ten žagintų, vien dėl to, kad tu *atsitiktinai* nufilmavai kažkokį vaikiūkštį prieš pat jam perpjaunant gerklę. – Jis karčiai nusijuokė. – Tu jau man atleisk, bet jeigu bukumas būtų nusikaltimas, Danieliau, tai tu sėdėtum iki gyvos galvos ir nebūtų jokio paleidimo lygtinai. Nieko daugiau tu ir nevertas!

Iš dalies buvau sutriuškintas jo entuziastingo puolimo, bet iš dalies tebuvau tik sutrikęs ir nebenorėjau toliau su juo kalbėti. Buvau kupinas vien tik ledinio pykčio. Kadangi Lukas buvo įsivėlęs, tas pyktis negalėjo ištirpti. Juk pasisiūliau jam prisiimti gerą dalį to, ką jis prisidirbęs, o jis su manim kalbėjo taip, tarsi aš pats būčiau susitepęs.

Lukas teatrališkai plačiai mostelėjo rankomis ir suplojo delnais, tarsi užtraukdamas pasibaigusio pokalbio uždangą. Nusišypsojo man, visais gestais ir mimika iš priešo virto draugu, ėmė elgtis su manimi vėl visiškai priešingai, negu buvo galima tikėtis.

– Na, atrodo, ką tik pirmą kartą smarkiai susikivirčijom, – nusijuokė.

– Atrodo.

Aš irgi nusijuokiau, bet mano akys nesišypsojo taip kaip jo, ir sau tyliai pasakiau: „Netiesa... Visai netiesa!“

– Atleisk, – tarė, – tiesiog nenoriu, kad tu ką nors darytum... prisidirbtum bėdos.

– Žinoma, žinoma.

„Visai ne žinoma“, – pagalvojau. Mane pribloškė, kokį pamačiau jį žvėriškai piktą, kaip jis baisiai mane paniekino. Ištiesė man ranką, suėmė manąją ir pakratė, bet atleisti galėjau tik labai palengva ir negreitai, taigi mano gestas nebuvo nuoširdus.

Toks buvo žaidimas. Dabar buvau įtrauktas į žaidimą, o tai reiškė, kad privalau būti sumanus, apsukrus ir apgaulingas. Supratau. Turėjau būti toks kaip jis.

– Taigi jokių nuoskaudų? – dabar paklausė kaip tas, kurį maniausi pažįstąs ir kuris man patiko.

Jis visu savo elgesiu vėl atvirto į tokį, koks buvo anksčiau, ir žiūrėjo dabar į mane laukdamas atsakymo.

– Jokių... nuoskaudų, – atsakiau jo besišypsančioms akims.

Lukas pasuko uždegimo raktelį ir tarė:

– Nusispjaukim tris kartus!

Iš pirmo karto neužsivedė, bet paskui variklis atgijo ir išvažiavom į kelią.

– Aš tik noriu tave apsaugoti, – pranešė kaip paslaptį.

– Suprantu.

Pasižiūrėjau žemyn į slėnį, paskui į Luką, žvilgsniu gręžiantį mane.

– Suprantu, – pakartojau melą dėl Luko.

Jis atrodė patenkintas. Bet tik dėl vienintelio dalyko buvau tikras. Ir tai buvo vienintelė, žiauri, pribloškianti tiesa.

Kad nieko aš nežinau.

15

Už jūrų marių

Pamažu dienojant, oras vis šilo, šiluma virto karščiu ir kėlė subtiliausius kvapus visur, kur tik prisilietė: prie gumos, degutbetonio, metalo, plastiko, prie žolės, medžių, gėlių ir prie odos. Per dieną kvapas ant mano odos darėsi tarsi vis artimesnis, tvaikas vis stipresnis, kraujo dvokas vis labiau įsisenėjęs ir vimdantis. Tarsi būčiau pasivoliojęs mėsos parduotuvės vitrinoje, apkibęs žalia mėsa ir joks prausimasis nebūtų galėjęs padėti to dvoko atsikratyti.

– Lukai, noriu nusiprausti.

– Betgi šįryt mes jau prausėmės, tame upely.

– Baisiai norisi nusimaudyti.

– Gerai, galim sustoti prieš Londoną. Šiuo metu keliai visiškai tušti, galim tuo pasinaudoti.

Kai galų gale vėl sustojom, norėjau padaryti ir dar kai ką, ko man reikėjo dar labiau. Ketinau paskambinti tėčiui. Tiesiog pasakyti „labas". Išgirsti, kaip laikosi. Ir paklausti: „Ką man daryti?"

Pokalbis tarp mūsų pastarąjį kartą kaipmat baigėsi, neliko apie ką kalbėti, vos tik jis ištarė: „Ar nenorėtum pasikalbėti apie mamą?" – „Kada nors kitą kartą!" – „Gerai."

Paskui Lukas nei iš šio, nei iš to nusijuokė. Ne taip pamišėliškai, kaip vaizdajuostėje, bet lygiai taip pat nesuvokiamai žvelgdamas. Kai nusiramino, paklausiau:

– Tau, Lukai, kažko linksma?

– Pasakysiu vėliau!

– Gerai.

Apsimečiau miegantis, nes man reikėjo pagalvoti, pabūti kuo toliau nuo Luko, kiek tik leido seno „Eskorto" salonas. Kad nereikia duoti vaizdajuostės policijai, nebekėlė abejonių jam, bet ne man. Šis dalykas dabar man labiausiai nedavė ramybės.

Atsidusau kuo sunkiausiai, sudarydamas įspūdį, kad labai kietai miegu, ir apsisprendžiau nusiųsti juostą policijai, pasitaikius pačiai pirmai progai. Lukas ėmė sau niūniuoti, o aš buvau visai užsimerkęs ir pastatęs ausis, bet neišgirdau nė vieno aiškaus žodžio.

Nebenoriu aš būti su Luku. Tikrai nebenoriu su juo būti. Ne dėl to, kaip jis priešinosi siųsti juostą, ne dėl to, kaip su manimi kalbėjo, ne dėl to, kaip juokėsi, ne dėl tos daugybės įvairių smulkmenėlių, kurių kaip pamišęs nenorėjau pripažinti, kurios man išėdė smegenis ir kurios knibždėte knibžda kaip ištisa padermė siaubingų parazitinių mutantų.

Nusisukau nuo jo, tariamai miegodamas, ir pasvajojau, o, kad staiga atsirastų mano kišenėje keli šimtai svarų ir galėčiau pasakyti: „Štai, čia kiek tu išleidai mano labui. Dabar aš tau nieko nebeskolingas!" Bet juk čia paikystė, svajonės palaikymas tikrove, toks, kuris verčia žmones stoti eilėn prie loterijos bilietų.

Norėjau paskambinti tėčiui ir galbūt jo paklausti, ar nieko būtų, jei jį aplankyčiau, ar negalėtų jis atsiųsti man kelionės ten ir atgal bilietų, lėktuvu ar kaip! „Ilgai pas tave nebūsiu, tik kol susiklostys mintys..."

Baimė bėginėjo nervų takeliais po visą kūną tarsi elektros srovės iškrova. Baimė sėlino per širdies ertmes, dairydamasi po apleistas valdas ir ketindama ilgam įsikraustyti. Baimė slapstėsi neregimuose mano minčių užkulisiuose ir tik laukė ženklo išeiti į mano smegenų sceną ir apšviesti mane, kad imčiau suprasti nesibaigiančią tamsą.

Mane apėmė troškimas atidaryti duris ir nešti kailį.

Vos tik suėmiau durų rankeną, Lukas taip riktelėjo ir kažką ėmė niurnėti, kad net sustingau. Jis ėmė dūsauti ir aikčioti, pristabdė mašiną, ir ši ėmė lėtai šliaužti, tarsi kokia apkvaitusi sraigė. Mums iš kairės važiavo mėlynas fordas „Fiesta", iš dešinės – balta ševrolė „Kavaljė". Visas eismas įstrigo.

– Danieliau! – sušuko labai garsiai.

Atsimerkiau ir pamirkčiojau apakintas saulės spindulių.

– Kiek valandų? – nusižiovavau.

– Penkios. Septyniolikta valanda. Atsuk savo langą.

Pasukęs rankenėlę, susidūriau žvilgsniu su žmonėmis, iš prisigretinusio automobilio žiūrinčiais pro savo atvirą langą tiesiai į mus, labai prastai apsimetančiais, kad mes jiems nelabai terūpime.

Ten sėdėjo keleivė moteris ir vyriškis, arčiau manęs, prie vairo. Pavaidinau žiūrįs kažkur už jų, skaitąs kelio užrašą „Aptarnavimas už 0,5 mylios", kad galėčiau geriau apžiūrėti juos, sukdamas žvilgsnį ratu.

Moteriškė pasižiūrėjo sau į kelius, kur buvo kažką pasidėjusi. Jos vyras irgi labai susidomėjęs nukreipė žvilgsnį į jos šlaunis. Ko jie ten žiūri?

Vyriškis kokių trisdešimties ar keturiasdešimties, su ūsais, nuskustu pakaušiu, pilnokas, su ilgarankoviais marškiniais. Kažkuo priminė man tėtį, kaip jis atrodė prieš dešimtį metų, ir būčiau galėjęs lažintis, jei tik būčiau turėjęs pinigų, kad tas vyriškis yra šiuo metu neinantis pareigų policininkas. Konsteblis su savo pačia – ponia Mėlynąja Fiesta.

„Fiestos" langai užsidarė, pora apie kažką sujudo kalbėtis. Aiškiai apie mus.

– Ar nematei šiandien laikraščių? – paklausiau.

– O kaip galėjau matyti? – atrėžė.

– Sakau, gal kai ėjai ieškot benzino...

– Ne. Ten visiškas pasaulio pakraštys. Ūkis, ir tiek. Ar mačiau laikraštį?! Nebūk pimpiagalvis.

Moteriškė pasižiūrėjo tiesiai į Luką, o šis sau žvelgė į priekyje judančius automobilius. Pamažu slinkome į priekį. Žvilgtelėjau į lauko veidrodėlį ir išvydau, kaip ji kažką pakelia geriau įsižiūrėti. Kraštelį pamačiau. Ji žiūrėjo į laikraštį. „Jie žiūri į fotorobotą!" – dingtelėjo, ir man prie kaukolės pamato ėmė vis smarkiau tvinksėti pulsas.

Nepažįstamieji trūkčiodami slinko kiek atsilikę. Moteris kažkur paslėpė laikraštį ir žiūrėjo tiesiai į mus. Kai dar kartą su jais susilyginome, rankoje ji laikė tušinuką ir kažką rašė popieriuje. „Užsirašė mūsų numerį!" Nejučia man kūnas susigūžė vos ne į kumštį.

Būgnijau sau per kojas kumščiais ir stebėjau tuodu akies krašteliu. Jų galvos nejudėjo, burnos už stiklo malė kažką negirdimo. Mus atpažino, mus smerkė, mus teisė. „Na ir pliurpkit sau, – pagalvojau, – aš nieko nepadariau..."

– Ar tu kada jauti, kad į tave žiūri? – paklausė Lukas nė kiek nesijaudindamas, nei išsigandęs, nei užpykęs.

– Ką turi omeny?

– Skaičiau apie tokį vyruką Amerikoj, kaip įstrigo štai taip kamšty. Jam pasirodė, kad žmonės iš gretimo automobilio žiūri tiesiai į jį ir kalbasi apie jį, juokiasi iš jo.

Lukas nutilo ir įsistebeilijo į porą, kuri dabar slinko greta. Laukiau, kaipgi baigs savo pasakojimą.

– Ir ką jisai darė? – pasidomėjau, pajudėjus eismui abiem juostomis.

Lukas suktelėjo vairą, parodė posūkį, kad vairuotojas už „Fiestos" suprastų, jog važiuos į kitą juostą, ir staigiai pasukęs įstrižai nėrė už „Fiestos". Vos nepalietė jos bamperiu.

– „Ką jisai darė"? – Lukas pamėgdžiojo mano liverpulišką „nosinę" tarseną, o paskui prabilo vėl savo neiškraipyta anglų kalba: – Ogi išsitraukė iš parankinės pistoletą ir sušaudė tuodu abu į galvą, paleido daugybę kulkų.

Pavaizdavo turįs rankoje pistoletą ir keliskart šovė į „Fiestą", aniems į pakaušius. Nukreipiau žvilgsnį į šalį ir tesvajojau atsidurti kitame pasaulio krašte. Pajutau visai tokį pat didžiulį nerimą, koks buvo užėjęs vaikystėje, kai užgeso šviesa ir centrinio šildymo vamzdžiai virto piktosiomis dvasiomis. Nusprendžiau, kad aš kuo skubiausiai, kai tik jo nebus šalia, kad ir kaip ten išeitų, turiu nešdintis!

– O ar žinai, kuo jis buvo vardu? – paklausė Lukas. – Tas vyrukas, kuris pašaudė eismo kamštyje?

– Ir kuo jis buvo vardu? – paklausiau spėliodamas, ar tie priekyje pamatė jo psichopatišką pantomimą, ar pamatė žmonės užpakalyje arba tie iš dešinės.

– Jis buvo Lukas Frijersas! Koks nepaprastas sutapimas. Tačiau tuo panašumas ir baigiasi. Jis buvo juodaodis iš Mičigano ir dabar sėdi mirtininkų kameroj. Mano padėtis visai kita.

– O tu iš kur kilęs?

Pagalvojau, kad jis juk nieko nėra man pasakojęs apie save, o aš, nežinia kodėl, ir neklausinėjau.

– Kilęs esu iš visur. Mes vis kraustydavomės. Gimiau aš Glazgove, o jei man reikėtų vadinti ką nors namais, tai tikriausiai vadinčiau Mančesterį. Ten nužudė mano motiną. Ten ji ir palaidota.

Galėjau vos ne prisiekti, kad jis šyptelėjo, bet tas akimirksnis buvo per trumpas, kad neliktų jokios abejonės. Vėl atrodė abejingas, bent jau taip matėsi iš jo galvoje įsisukusios karuselės. Mudu buvome du nepažįstamieji, trumpalaikiame tariamos draugystės įkarštyje tikrai labai giliai panėrę į vienas kito gyvenimą.

Slinkome į priekį, gaubiami pavakarės dangaus žydrynės, ir aš jaučiausi tarsi užrakintas po tamsiais laiptais žmogus, girdįs, kaip užtrenkiamos lauko durys.

Tolumoje išryškėjo posūkis į degalinę.

– Degalinė! Aš noriu nusiprausti ir atsigerti arbatos! – pasakiau jam ir pagalvojau, kad gausiu progą jo visiškai atsikratyti.

„Fiestai“ slenkant į priekį, tarp mūsų atsirado tarpas. Lukas jį panaikino, greitai ir energingai.

– Jie sumąstė tą patį, – pasakiau pastebėjęs konsteblį su ponia Fiesta rodant kairį posūkį ir nusukant nuo autostrados važiuoti aplinkiniu keliu į degalinę.

– Ar jie mus stebėjo, Danieliau?

– Kas?

– Tuodu, kur prieky.

– Ne! Tikrai ne.

– Na, tai gerai, – pasakė Lukas, – kad nestebėjo. O aš galėčiau prisiekti, kad jie mus stebėjo.

– Tu išsigalvoji, – nusijuokiau apsimesdamas.

Kodėl turiu jam viską sakyti?

Turėjau kišenėje kiek pinigų, būtų pakakę paskambinti į Prancūziją. Suspaudžiau monetas iš visų jėgų, net suskaudo nuo briaunų pirštus.

– Danieliau, pasižiūrėk ant lentynėlės, po prietaisų skydeliu!

Nenoromis ištiesiau ranką ir pagraibiau tamsoje. Ten, kur paprastai voliojasi kasdienis šlamštas, gulėjo pilko metalo pistoletas. Vos tik supratau, ką radęs, kaipmat nusviedžiau atgal.

„Fiesta" nuvažiavo sau, prapuolė, staigiai pasisukiojusi per tarpus tarp sustatytų automobilių. Lukas ištiesė ranką ir išsitraukė pistoletą. Pavartė jį, pasukiojo, tarsi aš dar nelabai suprasčiau, kas čia yra, ir, sulėtinęs sukti į laisvą aikštelės vietą, įrėmė šalto metalo vamzdį man į šoną. Pasižiūrėjau į ginklą, smarkiai spaudžiamą į šonkaulius, ir įsivaizdavau, kaip sutrupa kaulas, kaip išsprogsta minkšta mėsa ir kokį purvą aš paskleidžiu baigdamas savo dienas.

– Atleisk, Danieliau! – sušnabždėjo maloniu balsu, kokį girdėjau, kai susipažinom. – Bet bijau, kad tau viskas baigta.

16

Tėvas ir sūnus

Pakėliau rankas ir užsidengiau iš šonų akis, metalo vamzdžiui vis smarkiau smingant į šonkaulius ir šaltam metalui svilinant mane kiaurai.

Lukas garsiai pliaukštelėjo liežuviu į gomurį ir nusijuokė. Mano kūnas buvo įsitempęs prieš kulką, kurios jis taip ir neiššovė. Jis nusijuokė ir patraukė pistoletą šalin:

– Tikroviška, a?

Atsimerkiau ir išvydau monotonišką techninio aptarnavimo stoties tikrovę, degalinę su virtine benzino ištroškusių automobilių, – vienas įvažiuoja, kitas išvažiuoja, kasininkas skuba rinkti nepaliaujamai plūstančius grynuosius.

– Nesijaudink, čia tiktai kopija. Galim apiplėšti degalinę, jei norim. Kai tu turi šaudyklę, tai gali ką tiktai nori. Tiesą sakant, šaudyklės nė nereikia, pakanka, kad žmonės pagalvotų, jog tu ją turi.

Įspraudė ginklą man į saują. Suėmiau abiem rankomis, stengdamasis nepaliesti gaiduko. Tai gal čia tikrai kopija? O gal tikras? Nė nežinojau, ar juo tikėti. Nežinojau, ar žino Lukas ir ar jam apskritai tas rūpi.

– Degalinės plėšti mums nereikia, – pasakiau tyliai. – Pinigų turim užtektinai. Dabar netinkamas dienos laikas ir čia netinkama aplinka. Čia per daug liudininkų, kad man patiktų plėšti.

– Sakai tiesą, bet kai pinigėliai išsenka, Danieliau... Darom, ką privalom, kad kaip nors išsiverstume. Ir nešokam atatupsti.

– Žinoma, – sumelavau.

„Tai jau ne", – pagalvojau sau.

Padėjau pistoletą atgal ant tamsios lentynėlės ir grįžau mintimis prie pirmo mudviejų susitikimo. Supratau, kad viską nuo pat mūsų pasisėdėjimo kavinėje prie automobilių aikštelės, kiekvieną mudviejų su Luku drauge praleistą akimirką turiu permąstyti, perkratyti, dar kartą persijoti, ištyrinėti, smulkiai prisiminti, apgalvoti, įvertinti.

Kraujo tvaikas kilo nuo mano odos aitriu dvelksmu, aštrino protą ir temdė širdį. Ar tiesą jis man pasakė apie tuos tris, kurie šokę ant jo? Ar apie viską man pasakė tiesą? Kažin kas su juo labai negerai. Arba su juo, arba kažkas negerai su manim.

* * *

Kai stojome į eilę prie valgių, pastebėjau ponią Fiestą, vienišą sėdinčią prie stalelio ir žvelgiančią į stovėjimo aikštelę. „Įdomu, o kurgi pasidėjo *jis?*"

Išsakiau savo mintį taip garsiai, kad Lukas atsigrįžo ir paklausė:

– Kas? Kas kur pasidėjo?

– Tas, kuris pavogė mano krepšį.

– O ką?

– Nieko, tiesiog pagalvojau.

Žvilgtelėjau žemyn ir širdis suvirpėjo, kai pamačiau jo mašinos raktelius, nukarusius iš užpakalinės kišenės. Nusišypsojau Lukui, jis man. Aš, šypsodamasis jam tiesiai į akis, ištraukiau raktelius ir sugniaužiau suprakaitavusioje saujoje.

Ponia Fiesta žiūrėjo į mus, saugi dėl nemažo atstumo. Spėliojau, kurgi konsteblis Fiesta?

– Ko nori valgyt? – paklausė Lukas.

– Tik kavos.

Mano žarnos jautėsi taip, tarsi kokie skautai būtų praktikavęsi su jomis rišti mazgus. Taip susispaudė, kad jei būčiau prarijęs ko nors tirštesnio, tai dėl pakartusio tvaiko, kylančio man nuo odos, veikiausiai viskas kaipmat būtų iššokę atgal.

– Klausyk, man reikia nusiprausti, – pasakiau jam, pasitraukdamas iš eilės.

– Tau reikia pavalgyt, Danieliau! – sulaikė.

Pusamžė moteriškė pasižiūrėjo į jį taip šiltai, į tą mano rūpestingąjį vyresnį brolį.

– Grįšiu po poros minučių! – šūktelėjau.

Išorinis pasaulis ėmė rėkti man už nugaros, kai lėkiau į vestibiulį ir pirkau keturių svarų vertės telefono kortelę. Aš tarsi bėgau priešais natūralų Žemės sukimąsi ir siaubingai susipainiojau rinkdamas tėčio namų numerį. Trenkiau ragelį, žalia kortelė išlindo iš plyšio. Pabandžiau dar kartą, stengdamasis nusiraminti giliu kvėpavimu.

Turėjau nurimti. Neskubėti, nusiraminti prieš pokalbį su tėčiu. Suspaudžiojau 00 33 ir 1, Paryžiaus kodą. Kuo giliausiai įsispraudžiau į taksofono organinio stiklo kiautą, nes, rinkdamas aštuonis tėčio namų numerio skaitmenis, pajutau, kad vestibiulio sienos ir lubos tarsi virsta ant manęs. Stabtelėjau likus dviem skaitmenims. O gal man prasideda epilepsijos priepuolis, dėl streso? Giliai įkvėpiau oro ir tariau sau: „Ne!" Paspaudžiau paskutinius du skaičiukus ir ėmiau laukti jungimo signalo.

Pasigirdo signalas. Akies krašteliu lyg pamačiau konsteblį Fiestą, slankiojantį vestibiulio viduryje ir žiūrintį į mane. Atsisukau, rankoje spausdamas gergždžiantį ragelį, bet jo niekur nebuvo. Akimirką tarp intensyvių signalų nugirdau tolimą svetimą pokalbį, porą balsų, kažkokia kalba gyvai besišnekančių, tarsi sakančių: „Kuoktelėsiu! Kuoktelėsiu!"

Spragt. Niekas neatsiliepė, tyla ir, kaip pagalvojau, įsijungė atsakiklis.

– Alio! – išpyškinau. – Alio! Sveiki!

Nieko neišgirdau, o taksofonas rijo mano kortelės vienetus, nes linija buvo sujungta.

Pamačiau Fiestą, užsislėpusį pačiame mano regėjimo lauko pakraštėlyje. Šį kartą jis pasirodė su dviem uniformuotais transporto policininkais. Atsigręžau geriau įsižiūrėti ir išvydau juos einančius į kavinę, o ragelyje taip ir nepasigirdo joks žmogaus balsas, nors trisdešimt aštuoni vienetai jau sumažėjo iki trisdešimt septynių.

– Alio! – vos ne rėkte išrėkiau į tylą. – Alio!

Jau būčiau metęs ragelį, tik staiga:

– Danai, tu? – ataidėjo man į ausį.

Čia buvo Paskalė. Jos šnabždesys atskriejo laidais tarsi gyvybės gelbėtojas. Jos balsas buvo labai silpnas, ne toks, kaip paprastai būdavo – kupinas puikybės.

– Paskalė? Čia aš, Danas!

– Danai, tu?

Kažkas ten buvo aiškiai negerai. Prisiminiau seną posakį: „Atrodai tarsi išvydęs vaiduoklį", tik būčiau gerokai jį pakeitęs. Atrodė, tarsi ji būtų numirėlį išgirdusi kalbant.

– Paskale! Labas, čia aš, Danas.

– Danas! – pagaliau ji tarsi mane atpažino. – Bet, Danai, tu juk... tu juk... tu juk miręs!

Ragelis mano delne iš kieto plastiko virto akyta guma, suspaustas tarsi sulinko, galvoje viskas sukosi, širdis daužyte daužėsi. Aplinkinis pasaulis ėmė nuo manęs trauktis į šalis ir pasijutau paralyžiuotas kuo galingiausio šoko. Nebegalėjau nustovėti ant kojų, buvau ir netekęs jėgų, ir apsvaigęs nuo galvoje paslaptingu ritmu pulsuojančio žodžio: „Miręs! Miręs! Miręs!" Atsišliejau į telefono būdelės sieną, kad nenuvirsčiau ant išblizgintų grindų, pajudėjusių po manimi kaip laivo denis vėjo išjudintoje jūroje.

Vienetų pamažėjo iki dvidešimt aštuonių.

– Aš... aš... aš ne miręs!

– Danai! Ar čia tu?! – paklausė verkdama.

– Taip, aš, Danas...

– Danai, kas čia darosi?

Geras klausimas, Paskale!

– Gal galiu sužinot, kas čia dedasi? Ką reiškia „miręs"?

– Atleisk, bet aš, prancūzė, nelabai suprantu, ką tu sakai.

Ėmiau kalbėti lėčiau, žodžius tarti aiškiai, be patrumpinimų ir be emocijų:

– Ką jūs turite omenyje, sakydama: „Danai, tu esi miręs"?

– Danai, tavo tėvas grįžo į Liverpulį. Grįžo, kai gavome žinią, kad tu esi miręs, kad tu pabėgai iš namų ir nusižudei. Tu esi miręs, todėl tavo tėvas išvažiavo pas tavo motiną. Tai tu esi miręs? Ne? Tu ne miręs! Tai gal čia tiesiog dar vienas iš tavo tėvo melų?

Ir padėjo ragelį. Ryšys tarp mūsų nutrūko. Trenkiau ragelį ir pasiėmiau išlindusią kortelę.

Juokiausi, dengdamasis rankomis burną ir žiūrėdamas į ragelį. Apie mane sukinėjosi žmogus, irgi norėjo skambinti, bet aš sustingau lyg apkerėtas ir nepajėgiau išeiti iš būdelės. „Miręs?! Ką ji pliauškia?" Miręs tikrai šitaip nepultų į paniką kaip aš, neraudonuotų ir nebaltų kaip aš ir tyliai nesijuoktų, kai jie ten tikriausiai balsu rauda.

Nuėjau sau, be paliovos spragsėdamas nykščiais per visus pirštus, tarsi psichikos ligonis, neišmanantis, kaip numaldyti kažkokį audinius spaudžiantį kauliuką. Slankiojau kaskart vis mažesniu ratu apie telefono būdeles ir karštų pyragėlių kioską. Nuo karšto cukraus ir čirškančių skystų riebalų kvapo darėsi bloga.

„Miręs?! Kas gi čia darosi?"

Smarkiai susitrenkiau šlaunį į perpildytą šiukšliadėžę, ji nuvirto, ir visi žmonės aplinkui sutrikę atsigręžė. Šiukšliadėžė nusirito, pažėrusi pusę šiukšlių, tarp jų ir riebaluotą laikraštį „Deili miror" su antrašte „NUŽUDYTAS", su Kailo nuotrauka ir parašu „...šaltakraujiškai nužudytas".

Žvelgė jis į mane, nenuleisdamas akių. Pakėliau sudrėkusį laikraštpalaikį. Užlenkiau jo portretą, kad niekas nepamatytų, ir, švelniai laikydamas rankose, nusinešiau.

17

Karti tiesa

Purškiamaisiais dažais išmargintame kambarėlyje įsistebeilijau į laikraštį. Vis iš naujo skaičiau pirmą pastraipą, nes nepajėgiau perkopti per sakinio tašką.

Miške prie Banberio policija rado negiliai užkastus suluošintus keliautojų kūdikio Kailo Volfo palaikus.

Šitiek ir tebuvau perskaitęs anąkart, „Mažajame virėjuje“. „Skaityk, skaityk, skaityk!“ – raginau save ir vargais negalais nukreipiau žvilgsnį į antrą pastraipą.

Tik beveik po dvidešimt keturių valandų, kai bemaž pamišusi iš skausmo motina Džeida Volf pakėlė triukšmą, kad Kailas pradingęs iš laikinųjų namų, vietos pareigūnų komanda surado Danvigeno miške išdarkytą žemės plotelį.

Visai negiliai tūnojo siaubinga tiesa.

Policijos vyresnybė yra uždraudusi skelbti žiniasklaidoje mažojo Kailo sužalojimų detales ir mirties priežastį, nors vienas įvykio liudytojas apibūdino palaikus kaip „neįtikėtinai žiauriai sudarkytus“.

Dar kartą perskaičiau pajuodintą tekstą. „Uždraudusi skelbti žiniasklaidoje“?!

Niekas, išskyrus policiją ir žudiką, nežino, kas nutiko Kailui, kaip jisai mirė.

Už kelių jardų nuo atrastųjų palaikų policija atkasė kruviną drabužį, kaip manoma, priklausiusį žudikui.

Kriminalinės policijos vyriausioji inspektorė Džudė Parker, tyrimą vykdanti pareigūnė, prašo visų, kurie buvo Banberio apylinkėse apie kovo keturioliktąją, paskambinti svarbių įvykių skyriui telefonu 01865556677, jei tik kas nors mano turintis kokios nors svarbios informacijos, kuri galėtų padėti policijai tirti nusikaltimą.

„Kiekviena informacija, kad ir kokia atrodytų nereikšminga, gali būti nepaprastai reikalinga žudikui sugauti“, – pareiškė inspektorė Parker.

Taigi tokia informacija kaip vaizdajuostė su nufilmuotu vaiku prieš jo mirtį? Reikėjo man iš karto nunešti ją policijai, nepradėjus tartis su tuo skystapročiu Frijersu! „Visi skambučiai bus laikomi griežtai konfidencialiais.“

Vaizdajuostė buvo lauke, mašinoje. Jis nenorėjo, kad atiduočiau ją policijai. Dėl šito nė neabejojo. O aš norėjau nunešti. Aš norėjau. Ir dėl šito irgi nė trupučio neabejojau. Ir aš irgi buvau teisus.

Patvirtinta, kad trys keliautojai, visi buvę suimti kaip susiję su žmogžudyste, yra paleisti iš policijos areštinės niekuo neapkaltinti.

Nereikėjo man jo leidimo daryti tam, ką norėjau, nereikėjo man jo nurodymų elgtis taip, kaip yra teisinga.

Daugiau apie tai – 2, 3, 4 ir 8 psl.

Susukau laikraštį ir įsikišau į užpakalinę džinsų kišenę. Lukas, be abejo, nustebs, kurgi aš pasidėjau, bet neturėjau jokio noro ne tik grįžti į kavinę. Neturėjau jokio noro nei vėl jį pamatyti, nei vėl su juo kalbėtis.

Pasaulis aplinkui mane išnyko. Per vestibiulį nuėjau į stovėjimo aikštelę. Mintys susirikiavo siaura vorele: automobilis, vaizdajuostė, policija! Automobilis, vaizdajuostė, policija! Išsitraukiau iš kišenės įšilusius ir sudrėkusius raktelius ir žengiau vingiais tarp automobilių, išrikiuotų eilėmis priešais degalinę.

Man už nugaros, kažkur toli, skambėjo balsų choras, tarsi kitame pasaulyje, atskirtame nuo šio, kuriame aš atidariau vairuotojo dureles, priklaupiau ant sėdynės, pasiekiau nuo užpakalinės sėdynės dėžutę ir ištraukiau kasetę su užrašu „Žebenkštis ir kt."

– Junk variklį! Junk variklį! – iš tolimų balsų išsiskyrė isteriškas šauksmas. – Užvesk! Užvesk!

Šaukė Lukas, vejamas ištisos pykčio bangos su riksmais stoti.

Atsisukau. Lukas puolė prie mašinos klykdamas:

– Užvesk! Užvesk! Užvesk!

Jį jau buvo beprivejąs būrys transporto policininkų su konstebliu Fiesta iš paskos.

Luko akys, plačios, laukinės, beprotiškos, susidūrė su manosiomis, ir jis staugė taip, tarsi tūkstantis kankinamų demonų būtų kaukę nuo uolos krašto. Jis troško prasismelkti žvilgsniu į mano smegenis, pragręžti man akis, įrėžti mano smegenyse savo troškimą, kad suprasčiau, ką privalau daryti. Aš atrėmiau žvilgsnį, nė nesudrebėjau dėl jo veidą vis labiau iškreipiančio įniršio ir pasakiau:

– Ne!

Jo veidą pakeitė šlykšti kaukė, taip besiskirianti nuo to veido, kurį galėjau pripažinti esant Luko, kad jis dabar buvo visai kitas žmogus, ir vien tik akys, įremtos į manąsias troškimų dvikovoje, bepriminė Luką.

„Jam perpjovė gerklę, – pasakiau sau prisiminęs, kaip Lukas aiškino Kailo sužalojimus, kai tada buvom „Mažojo virėjo" tualete... – Ir jį pasiutiškai subadė, ilgais ašmenimis banguotu kraštu." Taigi Lukas žinojo, kaip žuvo Kailas, nors buvo neskelbiamos jokios detalės. Lukas žinojo, kad Kailas nebuvo išžagintas. Nors ir neskelbiamos jokios detalės, ir vieninteliai žmonės, žinantys šiuos dalykus, tėra policija ir žudikas.

Kai mane persmelkė siaubinga tiesa, Luko veidas vėl atvirto į kažką pažįstamesnio, bet jau per vėlai. Dabar jis jau smukęs mano sąmonės akyse, kitoks dabar bus jis mano prisiminimuose, dėl ką tik mano pamatyto iškreipto, žvėriško, siaubą varančio žvilgsnio.

Per trumpą akimirksnį transporto policininkas, atsidūręs prie pat Luko, pakirto jam kojas, ir Lukas skriste nuskriejo ant kapoto, plačiai išsižiojęs, griausmingai tebestaugdamas iš pat gerklės gelmių. Pagavo mano žvilgsnį ir pagalvojau, kad čia pat mane nudėtų.

Luką užgriuvo kitas policininkas, prispaudė prie kapoto ir užlaužė ranką už nugaros neatremiama jėga. Bemaž tą patį akimirksnį man aplinkinį pasaulį užstojo „Eskortą“ apsupusiųjų kūnai. Vairuotojo durelės vos nenulėkė nuo vyrių, ir kita pora rankų ištraukė mane laukan ir užmetė ant bagažinės tarsi kokią skudurinę lėlę. Nulėkiau ant metalinio paviršiaus taip, kad net sutreškėjo nugarkaulis ir skausmas ėmė sklisti karščio ir šalčio bangomis.

Vaizdajuostę ir mašinos raktelius tebeturėjau rankose, bet dėl skausmo ir piktų šūksnių rankų nebevaldžiau ir ką turėjęs išmečiau ant žemės. Visa esybe ėmiau gintis nuo to skausmo. Staiga atsimerkiau pajutęs esąs keliamas nuo bagažinės ir sviedžiamas veidu į priekį, išžergtomis kojomis ant gretimo automobilio. Rankas surakino už nugaros ir laikė stačią.

– Suimu jus dėl pasikėsinimo nužudyti Džordžą Parkinsoną. Galite nieko nesakyti, bet jeigu ką nors, nepasakę dabar, paminėsite vėliau, tai teismas gali dabartinį nepasakymą panaudoti prieš jus!

Kieme priešais policijos skyrių telkėsi minia. Kita minia – priešais duris į vestibiulį.

Lukas vėrė mane laukiniu žvilgsniu, trijų pareigūnų vedamas šalin, ir švokštė: „Žmogžudys!“

„Eskorto“ bagažinė spragtelėjo ir lėtai pati atsivėrė.

– Kuo vardu?

– Danas Andersonas!

Tempiamas pro atsidariusią bagažinę, tiesiog apstulbau. Kampe tarp įrankių dėžės ir šūsnies laikraščių pūpsojo mano krepšys – „Nikė“.

18

Suimtas

Galima nė neabejoti, kad dėl kiekvieno pavogto dviračio, kuris, kaip paaiškėja, sveikutėlis stovi policijos nuovadoje, bus penkis kartus perkratyta kiekviena tavo biografijos smulkmena.

Areštinės seržantas Stainas pakartojo mano pavardę:

– Danielius Andersonas! Danielius! Danas!

– Tu turi teisę per apklausą turėti socialinį darbuotoją...

– Nenoriu aš socialinio darbuotojo.

– Kol čia atvyks tavo tėvai, Danai, tu turi teisę turėti socialinį darbuotoją... įstatymiškai tu dar esi vaikas. Kadangi dar neturi septyniolikos...

– Man reikia advokato!

– Žinoma, – pritarė jis, parodė man pavardžių sąrašą ir pasakė: – Štai budintieji advokatai, rinkis!

Man pateikęs sąrašą pareigūnas buvo aukštas, liesas, pirštai ilgi, su stambiais sąnariais, rankos kaip kastuvai. Bangomis užplūdo kartėlis, ritosi aukštyn žemyn abiem nugaros pusėmis. Bakstelėjau kažin kur pirštu ir pareiškiau:

– Šitas tiks!

– Klausyk, – tyliai pasakė pareigūnas. – Kol tu šičia, tol aš tave globoju, esu už tave atsakingas ir tavo gerovė yra mano rūpestis. Jei turi kokių reikalų... ar klausai manęs, saulele tu mano?

– Klausau, taip, klausau, seržante.

– Viską sakyk *man*. Kaip jautiesi?

– Gerai, – atsakiau. – Siaubingai gerai.

– Čia įžengei, lyg tau ką skaudėtų...

– ...Viskas gerai, tikrai, aš tik noriu detektyvams viską, ką žinau, sąžiningai pasakyti...

– Nesijaudink, progą turėsi. Dabar nuvesiu tave kuriam laikui žemyn į kamerą, kol detektyvai pasirengs tave apklausti. Tik prieš eidami išverkim iš sportbačių raištelius...

– Žudytis aš neketinu, seržante.

– Tokios progos ir neturėsi. Duokš raištelius...

Kai išgirdau, kad lipsim žemyn, mane sukratė drebulys, bet laikiausi. Nugara buvo gerokai sutrenkta, kai mane šveitė ant mašinos.

– Aš nekaltas, – pasakiau žiūrėdamas į seržantą.

– Tada tau nėra ko jaudintis, ar ne, Danai?

Pamačiau, kad jis nelabai tikras nei dėl manęs, nei dėl paties savęs.

– Na, traukiam lauk tuos raiščius.

Numetė juos ant stalo kartu su šlamštu iš mano kišenių.

– Ar tikrai atvyksta mano tėvai?

– Taip.

– Abu? – pasmalsavau.

Linktelėjo.

– Na, keliausim.

Nusekiau paskui jį į kamerą.

* * *

„Tu gimsti, kenti, paskui miršti..." „Aš žagintojas..." „Mūsų futbolo klubas – ‚Mančester junaited' – 1993–1994-ųjų čempionas." Besilupantį kameros sienų dažų sluoksnį sąmojais ir išminties krislais išraižė tie, kurie iki manęs apsilankė šioje policijos skyriaus patalpoje.

„Mano krepšys jo bagažinėje!" Nuo šios minties man net suskaudo pilvą. Skausmas buvo bemaž toks pat kaip gėla, smelkianti mane per visą nugaros plotį ir ilgį. Riktelėjau ir tada tyliai sau pasakiau: „Ne, ne, ne!" Laužiau rankas, kol nuvijau šalin vaizdą su krepšiu, kol galvos ir širdies skausmas atslūgo ir mane apsupo stingulio bangos. Tame stingulyje, kuris man taip patiko, iš tikrųjų buvo gera.

Atsisėdau ant kieto suolo, atsirėmiau petimi į sieną ir žiūrėjau į stebėjimo akutę kameros duryse, klausdamas savęs, kuris balsas baisesnis, ar to pamišėlio, kur gretimoje kameroje, kraunančio perkūnais iš pasiutiškos neapykantos, ar tas tykus balsas mano galvoje, tyliai klausiantis: „Gal tu aklas ir kurčias, o gal dar ir puskvaišis?" Ar čia klausia įsiutęs, besišypsantis beprotis Lukas? Įdomu, kur jis dabar yra ir kokias ten seka pasakas.

Norėjosi rėkti, bet neįstengiau. Norėjosi klykti, bet neklykiau. Ir norėjau namo, bet... bijojau net pagalvoti.

Nepaliaujamas keiksmų srautas už sienos netikėtai nutrūko ir gavau progą pabandyti atsipūsti. Ištiesiau ant suolo kojas ir atsiguliau, smarkiai užsimerkiau ir padėjau skaudamą galvą ant šaltos suolo kietumos. Stebėjimo akutė sunkiose metalo duryse atsivėrė ir spynoje pasisuko raktas. Įžengė uniformuotas konsteblis, nešinas polistireno puoduku su pienu ir lipnia plėvele apsukta bandele su sūriu.

– Valgyti aš nieko nenoriu! – pasakiau jam. – Nealkanas.

– Turim tave maitinti, – atsakė ir padėjo valgį ant grindų, pieną pastatė greta. – Privalom tau duoti valgyti, – dar paaiškino išeidamas.

Baimė buvo pavertusi mano burną perdžiūvusiu urvu, todėl nuslinkau prie puoduko su pienu ir ištuštinau trimis gurkšniais.

Kaimynystėje keiksmų litanija prapliupo su nauja jėga, ir aš dar kartą paklausiau savęs, dabar jau balsu: „Gal tu aklas ir kurčias, o gal dar ir puskvaišis?"

* * *

Kokią dešimtą – tikriausiai, nes išgirdau pažįstamą „Žinių" melodiją skambant kažkuriame policijos skyriaus kambaryje, – seržantas Stainas nuvedė mane į apklausos kambarį Nr. 2 ir supažindino su budinčiąja advokate ponia Vatson, kuri atrodė labai atkakli, o jos žvilgsnis iš po tankių rausvų plaukų priminė Čarlį Čapliną.

Versdama nuo savęs spirale susegto bloknoto lapus, ji vis kėlė akis į mane ir akivaizdžiai spėliojo: „Kaltas ar ne?" Liovėsi kapstytis su savo popieriais, išsitraukė pakelį „Rotmano" cigarečių ir, pasilenkusi per stalą, pasiūlė man.

– Danas? – kiek pakaišiojo cigaretes man po pat smakru.

Papurčiau galvą:

– Nerūkau.

– Ar nori gerų naujienų? – paklausė.

Pasižiūrėjau į ją. Ar norėjau išgirsti gerų naujienų?

– Taip, praneškite man gerų naujienų, ponia Vatson.

– Tavo mama su tėčiu iš Liverpulio atvyksta čia. Nes tau gali būti nemenka trauma, Danai. Ar tu policijoj pirmą kartą?

– Kaip įtariamasis dėl nusikaltimo tai taip. Admirolo gatvės ir Garstono nuovadose lankydavausi nuolat, pas tėtį. Tėtis dirbo policijoj, Mersisaide.

– Oho. Dauguma tėvų, kai taip iškviečiami, policijos nuovadoj dar nebūna lankęsi. Taigi taviškiams *labai* neįprasta nebus.

– Neabejoju, kad kai jie yra lankęsi, tai čia jiems kuo didžiausia paguoda, ponia Vatson.

Ji nutylėjo ir ėmė kapstytis savo bloknote, kalbėdama taip, tarsi balsu mąstytų:

– Buvusio policininko sūnus? Bulvariniams laikraščiams patiks.

Išrietė antakius ir tyliai švilptelėjo aukšta gaida.

– Kada aš iš čia išeisiu?

Ji niūriai atsakė:

– Na, čia tave galima laikyti keturiasdešimt aštuonias valandas – taigi ištisas dvi paras... Galima tave palaikyti keturiasdešimt aštuonias valandas, o tada privalu pateikti kaltinimų. Jei pateiks kaltinimų, tai tave veš pas policijos teismo teisėją ir šis tau paskirs nustatytą laiką – tarkim, septynias dienas policijos nuovadoj, – arba paleis už užstatą. Nors jeigu tau tikrai pareikš kaltinimų, vargu ar galėsi tikėtis paleidimo už užstatą. Vadinasi, trumpai atsakant į tavo klausimą, geriausiu atveju po dviejų parų, o blogiausiu, na, niekada...

Ji vėl pasiėmė bloknotą, paspaudė tušinuką ir paklausė:

– Ką iki šiol esi pasakęs policijai?

– Nedaug. Kai būna reikalas, esu išmokęs pasinaudoti teise nieko nesakyti.

– Protinga, Danai. Išmintinga. Kitas klausimas. Tik nemeluok. Ar tai padarei tu?

– Nieko aš nedariau. Aš visiškai nekaltas.

Užsidegė cigaretę, iki šiol kokią minutę varčiusi kairės rankos pirštais, ir paleistas dūmas pakibo virš manęs šaltu mėlynu debesiu.

– Tave netrukus ketina vesti apklausti. Atsakinėk „taip“, jei bus taip, „ne“, jeigu ne, o jei nebūsi tikras, tai sakyk: „Nežinau!“ Nepridėk jokių nebūtinų smulkmenų ir nenukrypk nuo esmės. Atsakyk į klausimą „taip“, „ne“ arba „nežinau“. Jeigu tau reikės laiko pagalvoti, tai patylėk ir pagalvok, o jeigu nesuprasi klausimo, tai taip ir pasakyk: „Nesupratau klausimo!“

– Kas čia dedasi, ponia Vatson?!

– Ar nesupranti, kad tave suėmė ir laiko, kad galėtų apklausti dėl sunkaus nusikaltimo?

– Dėl Džordžo Parkinsono užpuolimo! Kaip galima pamanyti, kad kėsintasi nužudyti?!

– Manyti galima kaip tik patinka. Kaipgi tu atskirsi sunkų kūno sužalojimą nuo pasikėsinimo nužudyti? Aiškų nužudymą nuo nužudymo dėl neatsargumo? Ne taip jau paprasta, Danieliau. Esu tikra, kad bus pasižiūrėta realiai ir nusileista iki sunkaus sužalojimo. Šiaip ar taip, dėl Parkinsono bylos tu niekaip neišeisi iš areštinės, kol nebus išsiaiškinta!

Ji jau buvo išbaigusi visas gerąsias naujienas ir dabar iš jos minos buvo galima tikėtis vien tik blogų, tykančių šokti ant manęs, tiesiai iš burnos, kaip plikinantis garas iš perkaitusio garvežio.

– Manoma, esama įsitikinus... siejama su Kailo Volfo nužudymu! Tu esi pagrindinis įtariamasis. Arba, tiksliau sakant, judu abu su bičiuliu.

Kūnas suakmenėjo, kraujas sustingo. Pasižiūrėjau į ją ir vos vos pasukiojau į šalis galvą:

– Ne, ne aš.

– Nesijaudink, jeigu tu nekaltas, tai nieko nereikia bijoti. Nestinga teismo ekspertizės medžiagos. Surastas netgi kruvinas švarkas.

Ponia Vatson neatrodė labai patenkinta ir į mane nežiūrėjo.

– Ar seniai pažįsti savo bičiulį Ričardą Paiką?

– Ričardą Paiką?! Jis yra Lukas Frijersas.

Dar viena jo apgavystė dabar ištrūko iš mano lūpų, ir ponia Vatson papurtė galvą:

– Jis yra Ričardas Paikas!

– Joks jisai man bičiulis. Nelabai aš jį ir pažįstu. Žinoma, aš su juo bendravau, kurį laiką. Maždaug savaitę.

Įrėmiau kaktą į stalo kraštą ir žiopsojau į sukietėjusią kramtomąją gumą ant grindų.

Akimirką mintys man visiškai praskaidrėjo ir regėjau paveikslą, kuriame Lukas stovi toks aukštas ir plačiai besišypsantis, permerktas kraujo, o jo liežuvis mala prasimanymą, kad buvęs užpultas trijų vyrukų. O tas kraujas, kuriuo nuo Luko išsitepiau odą ir drabužius, staiga tarsi sudrėko ir vėl tapo šviežias, glitus. Netyčia įsikandau liežuvį, kai man toptelėjo, kad kraujas, kurį nusiploviau, dar ne viskas. Mane vėl kaip neatremiama banga užplūdo tas tvaikas, kankinantis visą dieną, ir užėmė gerklę.

– Ir kas gi buvo toji auka? – garsiai savęs paklausiau.

– Prašau? – nesuprato ji.

Dabar žiūrėjo į mane. Jutau, kaip gręžia žvilgsniu pakaušį.

– Padėsiu tau per pirmines apklausas ir paremsiu, kuo tik galėsiu, tačiau tau reikia gero advokato. Labai gero advokato.

Kažkas pabeldė į duris. Pasirodė Stainas. Pasižiūrėjo į ponią Vatson. Juodu aiškiai buvo gerai pažįstami.

– Trumpam grįši į kamerą, paskui vėl čia, – pranešė ji man, kraudamasi savo daiktus.

Pažvelgiau į kramtomąją gumą, pajuodusią ir sukietėjusią. Nebepajėgdamas pakelti skausmo, tiksliau, skausmo ir nerimo sproginėjimų kas akimirksnį mano sieloje, aš tai gumai pavydėjau.

– O daugiau nieko? – sumurmėjau. – Ar aš nesiejamas su kokiais kitais nusikaltimais?

– Na, ne. Ar tu nori apie kokius nors man pasisakyti?

Man pasirodė, kad trumputį akimirksnį buvau nualpęs. Pasijutau esąs paralyžiuotas kažkokioje tamsioje dykvietėje, ant nepridengtos galvos man krito ugnies kamuoliai. Sėdėjau poliekraniniame kine, vėl prie savo namų, ir žiūrėjau į save plačiame ekrane, į Mažąjį Save, raudantį dėl Didžiojo Savęs. Tikrasis gyvenimas filme virto akimirksniu, o paskui vėl atvirto ledinio šalčio tikrove.

Apėmė toks troškimas pabėgti, kad nuvėrė baisus skausmas, lyg kas būtų trenkęs į galvą, spyręs į veidą, kai supratau, kad nuo vieno dalyko tai tikrai nepabėgsiu. Nuo savęs.

– Ar dar turėčiau ką nors žinoti? – paklausė ji paskubomis.

Papurčiau galvą ir aiškiai ištariau:

– Ne!

– Ne? – perklausė. – Tai tuomet daugmaž ir viskas. Užteks. Kol kas.

19

Antrasis apklausos kambarys

Tikėjausi būti apklausiamas poros lašininių detektyvų iš Kriminalinės paieškos skyriaus Žmogžudysčių padalinio, poros plikių su maišeliais po akimis, prakvipusių cigaretėmis ir sumuštiniais su rūkyta kiaulės šonine, besitikinčių greito prisipažinimo, kad tuojau galėtų lėkti su taksi į artimiausią alubarį atšvęsti taip sparčiai sutvarkytos bylos.

Bet apklausos kambaryje, kur mane nuvedė Stainas, išvydau moteriškę, pavarde Parker, ir vyriškį, pavarde Veitsas, – porą, kuri puikiai būtų tikusi televizijos laidoms vesti.

Mano tėvai sėdėjo greta vienas kito ant tvirtų plastiko kėdžių, ir kai abu pasuko galvas į mane, staiga man pasirodė, kad nemačiau jų ištisą amžinybę. Abu atrodė daug senesni, nei regėjau juos mintyse, nors tepraėjo gera savaitė, kai mačiau mamą, ir tik vieneri metai, kai pastarąjį kartą mačiausi su tėčiu.

– Sveika, mama... tėti...

Staiga pagalvojau, kad prabėgo daugiau nei dveji metai, kai mačiau juos drauge, ir kiek drumzlino vandens nutekėjo nuo to nelaimingo vakaro.

Juodu nutaisė gražiai tarpusavyje derančias, bet aiškiai apsimetėliškas šypsenas, nors kartu atrodė sukrėsti, tarsi dėl persitempimo sapnuojantys košmarą ir tik laukiantys, kada suskambės žadintuvas ir košmaras išnyks.

– Sėskis, Danieliau! – Veitsas parodė kėdę, ir aš paklusau.

Čia dvokė cigarečių dūmais ir nuo ponios Vatson sklido stiprus kvepalų aromatas. Nuo kvapų mišinio vos ne vimdė. Sukandau dantis ir užsidengiau rankomis burną.

– Danai, ar supranti, kodėl esi čia? – iš kambario galo šiurkščiai paklausė Veitsas. Sakytum įpykęs tenisininkas, pradėdamas geimą, paleido į mane kamuoliuką nuo užpakalinės linijos.

– Taip, suprantu, kodėl esu čia. Man norima oficialiai pateikti kaltinimų dėl tyčinio nužudymo?

– Papasakok mums, kas ten tą vakarą nutiko. Antradienį, kovo keturioliktąją.

Veitsas atsisėdo kitapus stalo, Parker palinko arčiau manęs.

– Kalbėk, – ji visa esybe lyg ragino: „Išklok savo paslaptis“...

– Kodėl klausiat manęs? Kodėl neklausiat... – buvau beištariąs „Luko“. – Kodėl neklausiat Ričardo Paiko? Parkinsonui trenkė jis.

– Todėl, kad klausiam tavęs, Danai, – paaiškino Veitsas, šlykščiai išsišiepęs. – Štai kodėl!

– Papasakok. Papasakok, kaip ten buvo! – Parker vos ne prisiplojo veidu prie manęs.

Atsilošiau kuo atokiau nuo jos, kiek tik leido kėdė, ir nukreipiau žvilgsnį jai virš galvos.

– Ričardas buvo užpykęs ant Džordžo Parkinsono, todėl važiavo pro jį ir trenkė jam beisbolo lazda. Aš nesitikėjau, kad jis šitaip padarys, man neatrodė, jog šitaip dera, ir apgailestauju, kad taip nutiko.

– Kodėl Ričardas buvo ant Džordžo užpykęs?

– Nes Džordžas tądien iš Ričardo pasijuokė.

– Nes iš jo pasijuokė? – Veitsas pasižiūrėjo sumišęs.

– Ar tu trenkei Džordžui beisbolo lazda? – Parker nežymiai kilstelėjo galvą ir įsistebeilijo man į tarpuakį.

– Ne, aš netrenkiau Džordžui beisbolo lazda, – atsakiau žiūrėdamas lygiai taip pat į ją.

– Mums sakė kitaip... – pranešė man Veitsas.

– Ričardas Paikas sako, kad Džordžui trenkei tu...

– Na, tai kas iš judviejų sumanė užpulti Džordžą Parkinsoną? – paklausė Veitsas ir taip sunėrė pirštus, kad išėjo kaip bažnyčios stogas.

– Jis man sakė, kad jo vardas Lukas, – sunkiai atsidusau. – Sumanė Ričardas. Aš nemaniau, kad jis ketina trenkti beisbolo lazda.

– Nes iš jo pasijuokė? – Parker balsas buvo kupinas nepatiklumo.

– Taip, gal ir keista, bet dėl to, kad pasijuokė.

– Ar čia buvo įprastas dalykas, dėl kurio įtariamasis nusikaltimo bendrininkas įpykdavo? Dėl pasijuokimo? – Veitsas pasiteiravo kaip geraširdis dėdulė, besiaiškinantis darželinukų peštynes.

– Nenoriu aš pradėti aiškinti to asmens poelgių, – atsakiau. – Aš jo nepažįstu. Prieš savaitę jis paėmė pavežti mane iš degalinės ir buvom su juo iki šiol. Per vėlai supratau, kad jis psichiškai nesveikas!

– Danieliau, čia labai rimtas pareiškimas! – paaiškino Parker.

Veitsas perklausė:

– Psichiškai nesveikas?

Kokia prasmė? Juk tik laiko klausimas, kada jie pasižiūrės vaizdajuostę.

– Įsitikinsite. Mašinoje pilna įrodymų. Norėjau pateikti jums vaizdajuostę. Kaip tik ir ketinau, kai mane suėmėt. Ketinau pabėgti su ta juosta. Buvau pasiryžęs pasakyti, kad Parkinsonui trenkiau aš, kad tik galėčiau įteikti jums vaizdajuostę. Ką pasakysit?

– Kokią vaizdajuostę? – pasidomėjo Parker.

– Jums nelabai rūpi, kuo verčiasi Parkinsonas, ar ne?

– Ką tu nori pasakyti, Danieliau? – Veitsas spinduliavo dėmesingumu, ramybe ir policininko logika.

– Jūs norite sužinoti apie Kailą Volfą. Manote, kad šios bylos susijusios. Taip ir yra. Čia reikėtų ilgai pasakoti, bet... Aš supratau jau tik prieš pat suimamas, kad jis – Ričardas Paikas – pasakė man apie vaiko mirtį tokių dalykų, kuriuos galėjo žinoti vien tik policija ir žudikas.

Kambaryje stojo tyla. Tokia tyla, kad tarsi girdėjosi, kaip trinasi vienas į kitą sienas dengiantys audeklai ir kaip susispaudžia kambario kampai.

– Taigi yra vaizdajuostė... – tyliai pasakiau.

– Ką pasakysi apie vaizdajuostę, Danieliau? – rausėsi Parker.

– Kaip jaučiasi Kailo mama?

– Tu paminėjai vaizdajuostę. Ar vaizdajuostę?

– Nufilmavau, kaip buvo trenkta Parkinsonui. Tik nesitikėjau, kad taip atsitiks. Nė nenumaniau. Tiesiog laikiau nukreipęs vaizdo kamerą. Bet vaizdajuostėj yra dar kai kas...

Mintys man susipainiojo, visą logiką ir buvusią tvarkingą atmintį įsuko sumaišties verpetas.

– Aš suprantu, kas čia dedasi, – pasakiau. – Jūs vaizdajuostes jau peržiūrėjot. Jums nelabai aišku, nes jūs man kišat virvę, kad pats ir pasikarčiau.

– Papasakok mums apie tą „dar kai ką", – paprašė Veitsas.

– Ką gi dar? – kažkas paklausė.

Nebesupratau nė kuris paklausė, nes teregėjau priešais save Kailą, žiūrintį į mane pro autobuso užpakalinį langą ir man mojantį.

– Kailą... Nufilmavau jį mirties išvakarėse.

Kailo veidas išnyko.

– Mes... Mudu su Ričardu Paiku susiginčijom. Aš norėjau juostą atiduoti, jau būčiau ir atidavęs, bet mane suėmė...

Kažkas smarkiai pabeldė į duris ir sparčiai įžengė civiliais drabužiais vilkintis detektyvas. Parker perėjo kambarį ir ėmė greitakalbe šnabždėtis. Iš balsų skubrumo ir iš pozų buvo aišku, kad nutiko kai kas reikšmingo.

Atsisukau į mamą su tėčiu. Mama žiūrėjo, šypsena pridengdama kančią, o tėtis nenuleido akių nuo to, kas vyko prie durų.

– Mama, – ištariau nė nelabai žinodamas, ką gi dar pasakysiu.

Parker skubotai persibraukė ranka plaukus, o Veitsas palinko prie magnetofoninio mikrofono.

– Dvidešimt ketvirtą valandą penkiolika minučių Kriminalinės policijos vyriausioji inspektorė Parker ir apygardos komisaras Veitsas nutraukė Danieliaus Andersono apklausą.

– Danieliau! – kreipėsi Parker. – Dabar tu grįši į kamerą. Apklausą pratęsime vėliau. Veikiausiai rytoj ryte.

– Tai vaizdajuostę jūs turit? – paklausiau.

Parker linktelėjo.

– Iš vaizdajuostės gauta tam tikrų naujų faktų.

Kiaurai permačiau, kaip jie buvo sumanę pradėti žaidimą. Ak, kodėl aš toks nuovokus nebuvau anksčiau, kad ir kuo vardu būtų tas išpera?

Mama žiūrėjo, kaip einu, tokia bejėgė, kad akimirką net pamiršau savo paties išgyvenimus dėl visko, kas įvyko. Kodėl su ja nėra tėčio? Kažko jis išėjo iš kambario ir visiškai prapuolė.

Stainui priėjus prie mano kameros ir įkišus raktą į durų spyną, mane apėmė didžiulis troškimas pulti į tolimiausią kameros kampą ir maldauti: „Neužrakinkit manęs!" Bet vargais negalais išlaikiau orumą ir savo potroškį maldauti paverčiau klausimu:

– Kaip mano mama, ar jai viskas gerai?

– Na, supranti, sunku pasakyti... – Stainas parodė į kameros vidų. – Laikas miegoti!

Įėjau jausdamas slegiantį jo žvilgsnį. Atsigrįžau. Spoksojo į mane sumišęs.

– Kas? – sušnabždėjau. – Kas yra?

– Tai ar vaikelį nužudei tu?

– Ne!

– Pasistenk užmigti, rytoj tau reikės blaivios galvos.

Prasižiojau norėdamas dar kai ką pasakyti, paprašyti, kad palauktų ir išklausytų visą istoriją.

Bet buvo per vėlu. Kameros durys užsidarė man prieš nosį, sukamo rakto girgždesys anapus nuaidėjo taip, kaip dar gyvenime nebuvo tekę girdėti.

20

Ryto choras

Neprisiminiau, kaip užmigau, tejutau tik, kad netikiu iš tikrųjų įstengęs užmigti, kai rytą pažadino riksmų choras iš gretimos kameros.

Miegojau sėdomis ant suolo, petimi ir galva atsišliejęs į sieną. Visą nugarą dabar maudė taip, tarsi ją būtų perėjusi minia sumo imtynininkų. Kūnas instinktyviai gūžėsi prisiminus, kaip buvau blokštas ant bagažinės per suėmimą.

Atsisegiojau marškinius ir atsargiai ištraukiau rankas. Per pečių plotį ėjo mėlynai juodas kontūras, didžiulė mėlynė, siekianti ir rankas iš užpakalio. Man miegant, įsiskaudo kaip reikiant.

Pamačiau, kaip pakilo ir vėl nukrito stebėjimo akutės dangtis, išgirdau spynoje sukantis raktą ir vėl atsisėdau ant suolo. Kameros durys atsivėrė. Atėjo seržantas Stainas, o su juo žmogus tamsiu kostiumu, nešinas juodu portfeliu.

Stainas kalbėjo:

– Pastebėjau, kad sunkiai paeina, tai pamaniau, kad geriausia būtų jį apžiūrėti, daktare!

– Apsisuk, – paliepė daktaras ir peržvelgė pečių mėlynę. Nieko nesakė, tik žiūrėjo paniuręs į vidinių kraujosruvų paveikslą per visą stuburą ir nugaros viršų.

– Kaip čia buvo? – paklausė daktaras.

– Vakar pavakare, per suėmimą... – atsakiau.

Jis palietė nugarą švelniai, bet skausmas trenkė kaip žaibas.

– Kaip jautiesi, Danai? – paklausė Stainas, apėjęs iš priekio ir žiūrėdamas man į akis.

– Reikia rentgenogramos! – pasakė daktaras.

– Skauda!

– Kodėl nieko nesakei vakar? – paklausė Stainas.

– Klausykit, mane bloškė ant mašinos bagažinės. Nenoriu aš kelti triukšmo, nenoriu dėl nieko skųstis, noriu padėti...

– Jam reikės keliauti į ligoninę, – pasakė daktaras.

Pakračiau galvą ir pareiškiau Stainui:

– Sakau gi, kad čia išėjo netyčia!

Stainas padėjo apsivilkti marškinius, o tarpduryje pasirodė Veitsas ir Parker.

– Danieliau Andersonai, – kreipėsi Parker, – kovo keturioliktą dieną, antradienį, Kateforde, Oksfordo grafystėje, aš kaltinu tave neteisėtu veiksmu, sunkiu kūno sužalojimu, nukreiptu prieš Džordžą Parkinsoną...

Jos, toliau kalbančios, balsas pasidarė neaiškus. Aš nelabai besiklausiau.

Stainas palinko prie manęs:

– Danai, ar supranti kaltinimus?

– Aš suprantu... kad viskas ne taip... Šitą aš suprantu.

* * *

– Skauda? – paklausė daktarė O'Hara, nebejaunai atrodanti moteriškė švariais baltais drabužiais, su raginiais akinių rėmeliais ir šventosios veidu – šventosios, kuri paakinta čia pat galėtų stoti į rankos lenkimo dvikovą kad ir su pačiu Liuciferiu.

Paspaudė pirštais abipus stuburkaulio, ir man aukštyn ir žemyn per nugarą nusirito skausmo bangos.

Atsakiau spiegsmais, o ji:

– Kaip čia atsitiko?

– Griuvau...

– Tikrai? – aiškiai netikėjo. – Priešinaisi suimamas?

– Ne.

– Ištiesk rankas į priekį!

Kiek pakėliau sukaupęs jėgas, ir gerokai suskaudo.

Kambario kampe stovėjo ginkluotas policininkas. Jo veidą gaubė šešėlis, krintantis nuo mėlynos, panašios į beisbolininko, kepurės snapelio.

– Daktare! Kol esu čia, ar galėtumėte man kai ką padaryti?

– Ką tokio?

– Atrodo, kad mane buvo ištikęs epilepsijos priepuolis.

– Areštinėj?

– Ne, prieš mane suimant. Aš taip manau, bet negaliu tikėti tuo žmogum, kuris man pasakė. Ar galėtumėte atlikti kokį tyrimą ar ką?

– Taip, galime atlikti tyrimą. Mes negalime nustatyti, ar priepuolis tikrai buvo ar nebuvo, bet galime pasakyti, kas veikiausiai galėjo būti. Liudininko apibūdinimas labai padeda. Tai tu nepasitiki tave mačiusiuoju?

– Nepasitikiu.

– Įtariamasis bendrininkas?

Nežymiai linktelėjau.

Ji atsigręžo į apsauginį:

– Mes einame į rentgeną!

Deginantys skausmai, veriantys skausmai, diegiantys skausmai nesiliovė šokti komišką šokį skersai išilgai nugaros, ir staiga net paprasčiausiai eiti pasidarė ne taip paprasta.

– Danieliau, ar per miegus šneki?

– Man sakė, kad taip.

– Tuomet kažkas... Tavo bendrininkas gal pasinaudojo tavo giliai slypinčia baime. Gal. – Ji parodė į mano nugarą. – Nemanau, kad čia kas būtų nuskelta ar sulaužyta. Tikriausiai pažeisti raiščiai. Smarkiai. Atitaisoma poilsiu. Turėsi kiek pagulėti lovoje.

* * *

Sėdėjau veidu į žalią prietaiso ekraną, su dviem elektrodais, prilipintais prie galvos, ir stebėjau elektrinį savo smegenų aktyvumą, užrašomą dantyta linija su smailiomis viršūnėmis ir tarpekliais, kaip mažo vaiko greitai nupiešta kuo tankiausia kalnų virtinė.

– Ką rodo? – pasiteiravau daktarės O'Haros.

– Tavo smegenys pilnos nervų ląstelių, tarsi jungikliukų, perduodančių elektros impulsus. Laidai, prilipinti tau prie galvos, siunčia tuos impulsus į prietaisą. Prietaisas juos registruoja ir persiunčia į...

Ji ištraukė iš prietaiso lakštą popieriaus, atspaudą to, kas susidarė ekrane.

– Štai! Tai vadinasi encefalograma.

Ji tyrinėjo popierių, rodydama ir man. Ta dantyta terlionė priminė kažkieno mostus tušinuku, besistengiant priversti jį rašyti.

– Epileptikas? – susimąstė. – Ne, Danieliau, nemanau.

Pasiėmiau atspaudą ir žiūrėjau į kreivę, kuri man nereiškė visiškai nieko.

– Jis tave apgavo, – paaiškino daktarė.

– Tikrai?

– Taip, be abejo.

21

Nemiegu

Mane paguldė švarioje, jaukioje atsarginėje palatoje. Visas kambarys buvo skirtas man vienam toje tikriausiai perpildytoje, triukšmingoje ligoninėje. Turėjau ginkluotą sargybinį už durų, kad niekas neįeitų pas mane, ir ginkluotą sargybinį palatos kampe, kad negalėčiau pabėgti.

Rentgenas parodė, kad kaulai nelūžę, bet raiščiai buvo smarkiai patempti. Gavau didelėmis dozėmis vaistų nuo skausmo, kad ne taip smarkiai diegtų ir degintų, geltų ir kankintų, aukštyn žemyn per visą nugarkaulį, pečius ir nugaros apačią.

Gulėjau ant pagalvių ir žvalgiausi į baltas plyteles ant lubų, spėliodamas, kažin kur yra Lukas, kokius melus pila apie mane, ir galvodamas, kiek melų jis pripilstė man. Per šitokį trumpą laiką, kai buvom kartu.

Prieš akis iškilo mano „Nikės“ krepšys, įgrūstas į jo mašinos bagažinę, ir pasekiau atmintyje savo kelią nuo Liverpulio iki Londono autobuso, kaip jis nusuko į degalinę ir kaip nudūmiau į tualetą, kokia sukūprintų nugarų rikiuotė stovėjo palei pisuarą, kaip kvailai numečiau savo krepšį priešais kabiną ir įėjau vidun... Tikriausiai Lukas stovėjo tarp kitų prie pisuaro!

Prieš akis iškilo jo kojos, greitai, vikriai šliuožiančios nušveistomis grindimis lyg pirmykštės gyvatės, jo ranka, čiumpanti mano turtą, jo šypsulys, jo akys.

Už lovos galo stovėjo Parker su Veitsu. Ar seniai juodu čia, nenumaniau. Aš buvau prapuolęs nerimo ir išminties kupinuose apmąstymuose apie tai, kad mane buvo pačiupusi pikta ranka ir vedė į man nebepavaldžią ateitį.

– A? – nustebau jiems užėjus paklausti, ar nenorėčiau laikraščio.

Jiems už nugarų pasirodė moteriškė pažįstamu veidu ir žengė artyn, tiesdama ranką. Ir mama buvo čia, tai moteriškei už nugaros.

– Ponia Ker iš „Haf, Mašin ir Ker"? – paklausiau. – Jūs tvarkėte mamos reikalus per skyrybas, ar ne?

– Tiesa, Danai, bet aš esu labai patyrusi kriminalinės teisės srityje ir prieinu prie geriausių šalies advokatų.

– Taip, Danai, – pridūrė mama linksėdama.

– Patikėk, – toliau aiškino ponia Ker, – atvažiavau tik tavęs paremti, palaikyti byloje. Mudvi su tavo mama esame labiau draugės nei advokatė su kliente, taigi ji labai nori, kad tau atstovaučiau.

– Mes ja pasitikim, – patvirtino mama, stovėdama petys į petį su ponia Ker.

Bet aš tylėjau.

– Danai! – ragino mane atsiliepti mama.

– Ponia Ker, juk tarp vestuvių dovanų perdalijimo ir žmogžudystės bylos yra tam tikras skirtumas.

Įsmeigiau žvilgsnį į Parker su Veitsu.

– Žinoma, – kreipiausi į juos. – Žinoma, *jūs* nužudymo dar nepaminėjote. Bet apie šitą atėjote dabar pasikalbėti, ar ne? Apie nužudymą?

– Mes peržiūrėjome vaizdajuostę, – pasakė Veitsas.

– Tą, kurią ketinau jums pateikti, kai mane suėmėt, – patikslinau.

– Mes žinome, kad tu esi atsakingas už Džordžo Parkinsono užpuolimą, – Parker balse nuskambėjo pasitenkinimo savimi gaidelė.

– Ar kalbate apie mane? O gal apie mudu su Luku, tai yra *Ričardu,* kaip kad turėčiau jį vadinti? Jūs klystumėte abiem atvejais.

– Turime vaizdajuostę, Danai.

– Nepasižiūrėjote nuosekliai, ar ne? Dar ne? Kai Lukas trenkė, aš laikiau kamerą. Neleidau paspringti liežuviu ir...

Aišku, dabar čia tebuvo tauškalai. Parker brakštelėjo savo lagamino spyneles ir ištraukė rudą segtuvą.

– Danai, papasakok mums apie Kailą Volfą, – paprašė Parker. – Tu jį pažinojai, ar ne?

– Neilgai. Susitikau jį išvakarėse, prieš jo nužudymą. Šiek tiek jį pafilmavau. Tai toje pačioje vaizdajuostėje, kur Parkinsonas.

– Kaip ten buvo, kai susitikai Kailą? – pasmalsavo Veitsas lyg slapčia, tarsi kuo artimiausias bičiulis. – Papasakok, Danai.

– Susitikau, jis man patiko, toks mielas vyrukas. Gaila jo buvo, kad gyvena su keliautojais. Nelabai ir spėjau susipažinti.

– Ar jis niekuo tavęs neužgavo? – paklausė Veitsas.

Papurčiau galvą, vis sunkėjančią nuo baimės ir graudulio.

– Gal galėtum atsakyti į klausimą žodžiais? – paragino Parker.

– Ne. Jis buvo mielas vaikelis. Mes pamojavom vienas kitam pro mašinų langus.

Parker parodė man nuotrauką. Išvydau save, palinkusį virš Kailo, gulinčio ant žemės. Prisiminiau puikiai. Padėjau jam atsikelti, o atrodė, lyg smaugiu. Luko nufotografuotas vaizdas prasismelkė man į smegenis ir nutvieskė akinama šviesa šešėliuotus mano minčių vingius. Sugrąžino mane į keliautojų stovyklą, kai suėmiau Kailo rankutes, o jis man spyrė ir pataikė į smakrą. Netoliese blykstelėjo šviesa, paskui Kailas nuėjo sau.

– Atia atia, pone pone.

– Atia atia, Kailai Kailai!

– Ar jautiesi gerai? – Luko balsas tarsi išsiveržė iš mano galvos ir kupinas pašaipos nuaidėjo tarp sienų. – Ar jautiesi gerai?

Kai naktis leidosi ant keliautojų stovyklos, skaisčiai žybtelėjo jo fotoaparato blykstė. Jis darė dar vieną nuotrauką, ir antgamtiškai subolavo šypsenos iškreiptas jo veidas.

Prisiminiau. Prisiminiau, tarsi viskas ką tik buvo įvykę.

Nufotografavo jis mane su Kailu taip pat, kaip buvo nufilmavęs palinkusį prie nuvirtusio Parkinsono, siekdamas, kad kaskart atrodyčiau kaip tikras pabaisa. Ir siaubingiausia, kad tai atrodė lyg triuškinami įkalčiai.

Prisiminiau, kaip tiesiau rankas padėti Kailui atsistoti, o nuotraukoje atrodė, kad tikriausiai siekiu jo gerklės, akių ar dar kurios kūno dalies.

Žvalgiausi po palatą, žiūrėjau į ponią Ker, į Veitsą, į Parker, į lubas, į grindis, visur, tik ne į nuotrauką, bet akis traukte traukė tenai ir, antrą kartą pažvelgus, man pasirodė dar baisiau.

– Aš jam padėjau. Padėjau atsistoti. Norėjau padėti jam atsikelti nuo žemės, suėmęs už rankų.

– Ne, Danieliau, nenorėjai, – jau suirzusi paprieštaravo Parker.

– Tikrai norėjau, – priešinausi aš.

– Mes žinome, ką tu darei, Danieliau. Tą kartą, kur toje nuotraukoje, – Veitsas ištarė vos ne pašnabždomis. – Tu Kailą grobei.

– Ne!

– Tik tąkart nepavyko, ar ne? Tavo draugas, Ričardas Paikas, tau sutrukdė, tave nufotografavo, ar ne? Tąkart jis Kailą išgelbėjo, ar ne?

Parker akys laukė, kada mano žvilgsnis vėl pakils nuo netikro įkalčio tame nedideliame stačiakampyje, kurį ji laikė man panosėje.

– Aš Kailo nė pirštu nepaliečiau, nieko blogo jam nepadariau.

– Tu jau gana maldų prikalbėjai, Danai, vaidini puikiai, kartoji vis tą patį, tą patį, tą patį! – Veitsas sutramdė žiovulį ir atsiduso: – Toji nuotrauka daryta likus vos kelioms valandoms iki nužudymo.

– Tai ką gi tu jam darei, Danieliau? – paklausė Parker.

– Padėjau atsikelti!

– Ko tau parūpo jį kelti? Kodėl taip sumanei?

– Aš pagalvojau, kad reikia pakelti, nes žolė drėgna, jis peršals!

Visi ėmė tarpusavyje tyliai kalbėtis, balsai pasiekė mane per stalą kaip virtinė ištiestų plaštakų, skaldančių man antausius.

– Ar tu tada ir nutarei jį nužudyti?

– Ar tai tą ketini padaryti nuotraukoje? Užmušti?

– Ne!

– Ar tu sumanei jį pasigrobti ir nužudyti dėl to, kad tau jis įspyrė?

Parker iškėlė ranką, kad vėl stotų tyla, kad visi liautųsi šnekėtis, ir netrukus tarė:

– Aš jau šiek tiek pavargau nuo visų šitų... melų! Gal parodykime jam kitą nuotrauką?

– Tikriausiai laikraštyje skaitei, kad radome prie palaikų nežinia kieno drabužį, prisigėrusį nužudytojo kraujo.

Parker ištraukė iš savo bylos dar vieną nuotrauką, akylai tyrinėdama, atsukusi į mane baltąją pusę, erzindama, ir pagaliau lėtai apsuko ir parodė. Čia buvo mano rudasis zomšinis švarkas, sutaškytas krauju, jo prisigėręs ir plūduriuojantis tamsiuose, tiršto kraujo klanuose.

– Atpažįsti, Danieliau? Rastas už dviejų metrų nuo ten, kur nužudytas Kailas, – paaiškino Parker. – Ar švarkas tavo?

– Manišką sudegino Ričardas kartu su savo striuke.

– Ar švarkas tavo? Atsakyk į klausimą.

– Lyg ir panašus. Taip. Negali būti.

Įsižiūrėjau atidžiau ir labai sunkiai atsidusau.

– Ar švarkas tavo? – Veitsas pakartojo klausimą.

Čia buvo mano rudasis zomšinis.

– Čia... mano švarkas.

Tai buvo tikrai didelis smūgis – mano gyvenimui, mano viltims dėl ateities, svajonėms nuveikti ką nors gražaus ir naudingo ar kad ir paprasto. Dabar viskas baigta.

Parker ištraukė iš bylos dar vieną nuotrauką.

– Dar viena? – paklausiau jau visiškai nebesuprasdamas.

– Štai peilis, kuriuo nužudytas Kailas Volfas. Iškastas už dešimties metrų nuo palaikų. Pirštų atspaudai ant jo atitinka tavo atspaudus, paimtus tau vakar atvykus į skyrių.

– Danai, ar peilį atpažįsti? – paklausė Veitsas.

– Taip, čia virtuvinis iš mano namų. Buvau įsikišęs į krepšį, kai išėjau iš namų. Tą krepšį pavogė... na...

– Danieliau Andersonai! – pažadino mane iš sąstingio Parker balsas. – Aš pateikiu tau kaltinimą dėl Kailo Volfo nužudymo!

22

Tėvai

Neišgirdau, kaip jie įėjo, tik pamačiau, kad jie jau palatoje, stovi prie lovos galo ir žiūri į mane.

– Danai! – nutraukė tylą mama.

– Malonu jus matyti, – pasakiau. – Ačiū, kad atvažiavote manęs aplankyti.

– Danai! – pasakė tėtis.

Iš jo balso, iš to vieno žodžio buvo visiškai aišku, kas dedasi jo galvoje. Balsas nuskambėjo visai taip pat, tik kiek niūriau ir sunkiau kaip tąkart, kai jis buvo iškviestas pasiimti manęs, sučiupto prie kompaktinių diskų parduotuvės su pasivogtu Madonos „Seksu". „Tai čia tikrai tu šitaip prisidirbai?" Štai ir vėl policininko sūnelis padarė jį nusikaltėlio tėtušiu. Supratau negalįs nė pažvelgti jam į akis.

Mama atsisėdo prie manęs ant lovos krašto ir suėmė rankomis mano veidą.

– Kaip tavo nugara? – nusišypsojo mama, nutaisiusi narsuolės miną. – Danai, – kalbėjo ji švelniai, nusišypsojo, palinko į mane ir pabučiavo į kaktą. – Kaipgi tu, mielasis? – jos balsas apglėbė mane lyg apsauginis dangalas. – Kaip gera tave matyti, Danai.

Prieš tris valandas aš buvau apkaltintas nužudymu, ir kai motiną išvedė verkiančią, man kilo mintis, kad ji nebeateis. Trumpam buvau praradęs amą iš laimės ją matyti, justi jos prisilietimą, užuosti ją, žinoti, kai šitiek visko buvo, nepaisant nieko, kad ji vis tiek mane myli lygiai taip pat, kaip ir aš tebemyliu ją.

– Mama, man taip malonu tave matyti! – apsikabinau ją akimirksnį ir pasižiūrėjau tiesiai į akis. – Mama, atsiprašau. Nieko aš ne...

– Nesijaudink.

– Danai! – ataidėjo vaiduokliškas tėčio balsas. – Danai, kas, po perkūnais, čia dabar darosi?

Jis prisėdo iš kitos pusės ir įbedė žvilgsnį. Suakmenėjusiu veidu, įsitempęs ir sustingęs, oficialus ir smerkiantis.

Aš atrėmiau jo žvilgsnį ir susimąsčiau, į kiek kitų penkiolikmečių jis šitaip jau buvo įrėmęs žvilgsnį besistengdamas, kad šie susileistų ir išklotų, koks buvo jų vaidmuo vienokiame ar kitokiame kuo bukiausiame nusikaltime.

– Danai, pažiūrėk man į akis! – jutau, kaip jo pirštai neramiai barbena į lovos rėmą, o akys skverbiasi į nuošaliausius mano minčių užkaborius. – Danai, pažiūrėk man į akis!

– Džimai, užsičiaupk! – sudraudė jį mama.

Jis atsistojo ir susinėrė rankas.

– Man tereikia paaiškinimo. Konkrečiai, kas čia dedasi. Tik tiek. Tam tikrai turiu teisę.

Nusigręžau, kad jo nematyčiau. Įsižiūrėjau į mamą, tarsi tėvo čia nė nebūtų. Pabandžiau jai nusišypsoti ir apgailestavau, kad tėtis ne Prancūzijoje, ne dar kur, kad tik čia nebūtų jo, prisvilusio prie manęs ir slegiančio visus savo nusivylimu.

– Mama, kai bandžiau jam prisiskambinti...

– Kam? – paklausė mama.

– Tėčiui.

– Tu kalbi taip, lyg manęs čia nebūtų! – įsikišo tėtis.

– Pabandžiau jam prisiskambinti iš degalinės, kur mane suėmė. Atsitiko kažkas tikrai keisto. Atsiliepė *ji*...

– Ji? Paskalė? – šaute iššovė tėtis. – Ką ji pasakė, Danai?

Pasisukau į jį ir iškošiau pro dantis:

– Ko tau tuoj pat nesinešdinus atgal į Paryžių ir nesužinojus pačiam?

Jis aiškiai buvo sukrėstas, iki širdies gelmių, ir įsižeidęs. Atkakliai atlaikiau jo žvilgsnį, išsproginęs akis, įžūliai, ir laukiau, ką pasakys. O prabilo jis, atrodė, labai labai negreitai.

– Ar tu nenori, kad aš čia būčiau? Tikrai, Danai? Nori, kad išvažiuočiau? Aš tavo tėtis, Danai.

– Nereikia tau čia būti, tėti. Prisimink, palikai mus dėl kitokio gyvenimo. Prisimink, nusivylei manim, ir mama tau ne per labiausiai patiko...

Jis išsižiojo kažką sakyti, bet vėl lėtai užsičiaupė.

– Važiuok namo, tėti, tu čia niekuo dėtas. Grįžk pas Paskalę, dabar tavo namai ten.

– Danai, būk geras, paklausyk. Buvo ne taip. Aš nenorėjau įskaudinti nei tavęs, nei tavo motinos, tikrai buvo visai kitaip. Ką gi aš padariau? Ką gi aš padariau ne taip? Įsimylėjau, ir tiek. Sukoriau šitokį kelią iš Paryžiaus, ketindamas tau padėti, o tu su manim šitaip. Danai, nenusuk akių, kai su tavimi kalbu, žiūrėk man į akis.

Nebuvo lengva, vis dėlto prisiverčiau nenuleisti nuo jo akių. Jo veidui vis labiau raustant, pastebėjau, kad jo plaukai apie ausis pilkesni, o viršugalvyje retesni nei anksčiau. Plaukų trikampis ant kaktos buvo smailesnis, nei prisiminiau buvus, be to, jam derėjo nusiskusti. Prieš keturiasdešimt aštuonias valandas buvau įsitikinęs, kad šis žmogus gali atsakyti į kiekvieną klausimą, kokį tik verta užduoti. Priekiniai dantys buvo parusvėję nuo nikotino, o nosies viršų tarpuakyje kirto gili raukšlė. Tas, kurį prisiminiau, ir tas, kuris sėdėjo ant mano lovos krašto, buvo du visiškai skirtingi žmonės. Man sutrikusiam per nugarą nusirito virpulys. Šitas žmogus, sėdintis ant mano lovos, su išsiveržusiomis ant vaškinių akių baltymų nepageidautomis ašaromis, šitas žmogus yra mano tėvas.

– Danai, kodėl tu su manimi šitaip?

Jis iš išvaizdos ir iš balso atrodė kažkoks netikras dėl savęs, sutrikęs, pasinėręs į savo jausmus. Atsistojo, pasisukiojo šen ten, silpnas savimyla, beviltiškai dairydamasis nedidukėje palatoje, kur pasislėpti, nors visai nebuvo kur. Pasižiūrėjo į mamą ir nuolankiai paprašė:

– Pasakyk jam, Džene! Pasakyk.

– Ką jam pasakyti?

– Tu nepasikeitęs, ar ne, tėti? Mane apkaltino žmogžudyste. Aš nekaltas, o man pateiktas kaltinimas dėl vaiko nužudymo, pateiktas kaltinimas dėl baisiausio nusikaltimo, kokį tik galima įsivaizduoti, ir mano gyvenimas baigtas, nė nesulaukus progos pradėti gyventi. O tau terūpi kalbėti vien tik apie save ir kaip tu jautiesi, ir kaip tau viskas atsirūgsta. Nusispjaut man ant tavo gražiausių jausmų, tėti. Tiesą sakant, pasakysiu atvirai, tu pats didžiausias mūsų šeimos nusivylimas. Ne aš. Ne mama. O tu, tėti, tu su savo sulaužytais pažadais ir savo melais, ir savo puikybe, ir savo savimyla.

– Nesakyk taip, Danai...

– Tu mane palikai, apgailėtinas šunsnuki! Tai ką gi aš turiu sakyti?!

– Tai aš verčiau jau važiuosiu.

Ir tuojau pat išėjo. Prie durų stabtelėjo ir, kadangi negalėdavo netarti žodžio paskutinis, pasakė:

– Danai! Tu palauk, kol sulauksi mano amžiaus. Tada suprasi...

Jis iš paskutiniųjų kapstėsi savo kuo giliausioje ledinėje gėdoje.

– Tėti, kai aš būsiu tavo amžiaus, jei man pasiseks, tėti, ir jei gerai elgsiuosi, tėti, tai gal mane išleis iš kalėjimo... Tėti!

Jis nepajėgė pažvelgti man tiesiai į akis, tiesiog tyliai uždarė duris. Ir viskas.

– Danai, ar tau viskas gerai? – pasiteiravo mama ir pridėjo delną prie kaktos. – Kakta karšta!

– Norėjau tau pasakyti, mama, kaip aš skambinau į Paryžių. Paskalė man pasakė, kad aš *miręs*, mama! Miręs? Aš tiesiog nesuprantu.

– Na, Danai, taip, tiesa...

– Mama, ką reiškia „tiesa"?!

– Tu man paskambinai, sūnau, ir pasakei prarijęs visą buteliuką tablečių nuo nemigos, kad tu ketini mirti, ir padėjai ragelį! Paskambinau operatorei, kad pasakytų, iš kur tu skambinai. Iš taksofono Oksforde.

– Skambinau ne aš, mama.

– Tačiau, Danai, tavo balsą aš pažįstu. Aš juk tavo motina.

– Skambino Ričardas Paikas. Jis gali idealiai pamėgdžioti ką tik nori. Jis paskambino tau, apsimetė manimi ir pripliauškė, neva aš prisirijęs tablečių. Aš nė nežinojau. Jis man pasakė tau skambinęs ir pranešęs, kad man viskas gerai. Jis man pamelavo, o tave pakankino.

– Kodėl? – paklausė mama nuostabos kupinu balsu ir suglumusiomis akimis: – Kodėl?

– Nes jisai gali. Nes jisai šitai mėgsta. Nes jam patinka kankinti kitus. O atrodė toks geras, švelnus... Atsiprašau, mama.

– Neatsiprašinėk, Danai.

– Bet atsiprašau, kad pabėgau iš namų ir kad palikau tau tokį šlykštų laišką, ir kad sukėliau tiek nerimo, ir už nemalonumus, į kuriuos įklimpau.

– Danai, aš nelabai žinau, kas tau nutiko per tas septynias paras, tačiau aš tikrai žinau, kad tu nė už ką nieko nenuskriaustum.

Lauke jau vakarėjo, dangumi ėmė driektis šiltas oranžinis saulėlydis. Auksinės šviesos ūkas pasklido po visą palatą, sušvelnino visas aštrias briaunas aplink mus, įmaišė šešėliams tylos ir apgaubė mudu su mama aiškiai juntamu nematomu šydu. Tą keletą akimirkų visi mano rūpesčiai buvo kažkur toli toli.

Mama pažvelgė į langą, pro kurį iš lauko skverbėsi šviesa, ir nusišypsojo taip, kaip jau bemaž buvau pamiršęs ją sugebant šypsotis.

– Žinai, Danai, gal pasirodys keista, bet šiandien pati laimingiausia mano gyvenimo diena.

– Kodėl?

– Nes tu esi su manim ir tu gyvas. Maniau jau tave praradusi, buvau pasirengusi tave laidoti, o štai...

Pasižiūrėjo į mane, neapsakomai šypsodamasi, ir paglostė man veidą.

– Tu esi su manimi, mano berniuk, tu gyvas, taigi šiandien pati geriausia diena mano gyvenime.

– Tu man atleidi? – paklausiau.

– Nėra ko atleisti, Danai. Tu nesi padaręs nieko blogo.

23

Žmogžudys

Gulėjau lovoje labai ramiai, visiškai nemiegojau, žvelgiau pro langą į mėnulį, pasinėręs į tirpulį, primenantį lavono sustingimą. Iš atminties gelmių sprūdo laukan padriki prisiminimai tarsi garai iš užnuodyto laimės šulinio.

Vėl buvau pradžios mokykloje, stovėjau sukryžiavęs kojas ant medinių salės grindų ir klausiausi svarbios mokyklos direktoriaus kalbos.

„Kartą kalno papėdėje gyveno namelyje žmogus. O to kalno viršūnėje dunksojo didžiulis akmuo. Kas vakarą, grįžęs iš darbo namo, žmogus bijojo pamatysiąs tą akmenį nuriedėjusį žemyn ir sugriovusį jo namą. Bijojo iki tos dienos, kai šitaip ir atsitiko. Ar jis puolė rautis plaukus ir šaukti? Ne. Priešingai, jis atsiduso su kuo didžiausiu palengvėjimu. Pats baisiausias dalykas, kokį tik buvo įmanoma įsivaizduoti, tas, kurio jis bijojo labiausiai, jau buvo įvykęs..."

Pats baisiausias dalykas, kokiu galėjau būti apkaltintas, tas pats baisiausias dalykas buvo ištartas, tas neįtikėtinas dalykas atsitiko man, o tas žmogus iš pasakojimo apie sugriautą namą tikrai buvo nesveikas.

Norėjosi susitraukti į ką nors dar mažesnio už tą gumos iškramtą ant policijos skyriaus grindų, dingti visiems iš akių ir nebebūti niekieno prisimintam, bet žinojau, kad šitaip tai jau tikrai man nenutiks.

„Ijanas Bredis ir Maira Hindli, Frederikas ir Rozmari Vestai, Ričardas Paikas ir Danielius Andersonas... Danielius Andersonas? A, tas Danielius Andersonas, vaiko žudikas. Tikėkimės, kad svils pragare... Žinoma, dienos šviesos jis nebeišvys, vis dėlto, jei paklaustumėt mūsų, tai čia grynas mokesčių mokėtojų pinigų švaistymas laikyti jį uždarytą gyvą kokiame nors prabangiame ar kokiame ten dar kalėjime, kai už tokį darbelį turėtų būti pakartas!"

Štai tokios mintys neduoda ramybės žmonių širdims ir protams, štai tokie žodžiai pilasi iš jų burnų autobusuose ir prekybos centruose, štai taip samprotauja paprasti, padorūs, gerbiantys įstatymus vyriškiai ir moteriškės gatvėje, tie patys vyriškiai ir moteriškės, kurie pasirengę būti išrinkti prisiekusiaisiais.

Štai kaip man nutiks. Štai kaip.

* * *

Kitą rytą ponas Emlinas Džonsas, advokatas, atvažiavo pasimatyti su manimi ir bendravo geras tris valandas. Kai įžengė į palatą, atrodė kažkaip teatrališkai. Jo galva ir pečiai styrojo virš sargybinio, atlydėjusio jį čia, o per platumą jis vos neįstrigo tarpduryje. Ponia Ker lydėjo jį tarsi pažas pantomimos scenelėje. Juodas jo kostiumas buvo nepriekaištingai švarus, judesiai, nepaisant jo gabaritų, grakštūs lyg baleto šokėjo. Jis visai manęs neprašė, nė minties neturėjo, nieko nesakė, bet aš atsikėliau ir atsistojau prie lovos, pamiršęs, kad skauda nugarą. Stovėjau prispaudęs rankas prie šonų ir žvelgiau tiesiai prieš save, atlošęs galvą. Turėjo ponas Emlinas Džonsas kažką tokio, kad aš noriai išsitempiau prieš jį štai taip kareiviškai, lyg išgirdęs komandą „Ramiai!“ Autoritetas iš jo savaime liete liejosi, kaip iš čiaupo vanduo.

Jis viena ranka paėmė kėdę, kita švystelėjo ant lovos portfelį.

– Lipk į lovą, Danieliau, tu nesveikuoji!

Kaipmat paklusau ir žiūrėjau, kaip stebeilija į mane iš visai arti, tyrinėja, sprendžia, kas aš toks. Ponia Ker atsisėdo ant lovos galo, aiškiai jausdama jam pagarbią baimę. Stebėjo jį taip, kaip Žebenkšties sekėjai stebėjo Žebenkštį, kai jis buvo tapęs kino žvaigžde. Ji mudu supažindino, ir mano ranka atsidūrė jo gniaužtuose. Pakratė taip, lyg ketintų nupurtyti nuo medžio supuvusius vaisius.

– Jei turėsime omenyje tavo mamą, kokia jos nepavydėtina padėtis, nes gauna socialinę pašalpą, be to, mokesčių mokėtojai apmoka ir mano paslaugas, Danai, išeina, kad kiekviena akimirka, kurią tu nebūsi su manimi visiškai sąžiningas, reikš ne vien tik tuščią laiko gaišimą, bet ir pinigų švaistymą, o taip tai jau tiesiog neįmanoma. Supratai?

Jo balsas buvo sodrus, dainingas ir kažko glumino. Lyg daina, lyg eilėraštis, patraukiantis ritmu ir nuotaika.

– Aš supratau. Jokio melo.

Jis tarsi įkvėpė kuo didžiausio pasitikėjimo savimi ir iškvėpė gryną žavesį.

– Tu valas? – paklausė.

– Ne, liverpulietis. Mano senelė tai buvo iš valų.

– Žinau, sakė tavo mama... Tavo mama patikino, kad tu nekaltas. Ar ji teisi, ar tik pučia miglą dėl savo vaikelio?

– Ji teisi.

– Visiškai?

– Visiškai. Jokio melo, ponas Džonsai, prisiekiu Dievu...

– Ir aš skaičiau bylos santrauką, kaip tu aiškinai viską poniai Ker... Mano manymu, tave pakišo kaip gerą ožį... – Jis pakštelėjo portfelio spynelę. – Taigi turim pagrindą, kuriuo pasirėmę galime veikti tavo naudai. Tik yra klausimas, ar tu nori, kad tau atstovaučiau?

– Taip, noriu.

– Gerai. Reikia pasikalbėti su tavimi dėl dviejų dalykų. Pirma, turiu tau klausimą, antra, noriu dėl kai ko įspėti. Pirmiausia klausimas. Ar tu matei, kaip tas originalas Paikas sudegino švarką ir striukę?

– Ne. Vien tik krūvą degėsių ant žemės...

– Taigi jis galėjo sudeginti savo striukę, o tavo švarką pakišti nusikaltimo vietoje?

– Taip, aišku, galėjo, lengvai...

Ponas Džonsas kažką pasižymėjo bloknote ir sumurmėjo:

– Puiku, puiku... – Ir pakėlė akis: – Įspėjamajam šūviui pasirengęs?

Linktelėjau daugmaž numanydamas, kas bus toliau.

– Užmiesčio renginys, – atsidusau.

– Jis šiek tiek prisipažino. Neprieštaravo buvęs netiesioginiu antrojo nusikaltimo bendrininku...

– Na, o ką tas reiškia? Ar buvo antra žmogžudystė?

– Čiping Nortone, tą naktį, kai tu nuvažiavai į renginį. Nužudyta septyniolikmetė Ketė, – monotoniškai išdėstė ponia Ker.

– Mes ten ją pavėžėjom. Ją su draugėmis... – paaiškinau.

– Žinau, – patvirtino ponas Džonsas.

– O kas ten jai atsitiko?

– Ji buvo užspardyta lauke prie palapinės, – pasakė ponia Ker.

Naujienos sunkėsi į mano smegenis lyg rūgštis į plastiką, žiauriai degindamos.

– Jis nužudė Ketę?!

Užuodžiau jos kraują, vėl jutau limpantį man prie odos. Prisiminiau Luką, stovintį tokį aukštą, visą permerktą kraujo, ir sekantį pasaką apie trejetą jį užpuolusių tipų. Burnoje pajutau kraujo skonį. Netyčia įsikandau liežuvį.

– Tai ką gi jis pasakojo? – paklausiau.

– Tu dingai su Kete... – ponia Ker padavė man nosinę. – Jis nuėjo tavęs ieškoti...

– Viskas jau aišku, – pertraukiau. – Ir užklupo mane bebaigiantį ją užspardyt ir puolė manęs tramdyt, bet buvo jau per vėlu!

– Taip, – patvirtino ponia Džons. – Visiškai taip.

– Aš visai nebuvau prie palapinės. Išėjau anksti, pasivažinėjau, nusnūdau...

– Ar kas nors tave matė? – pasidomėjo ponas Džonsas.

Pakračiau galvą ir atsidusau:

– Ne.

– Nagi, perskaityk viską nuo pradžios ir, jei būsi dar ko nors mums nepasakęs, ką nors pamiršęs, tai būtinai pasakyk ir įtrauksime. Skaityk.

Susitelkiau į pirmą eilutę ir perskaičiau: „Kovo 13 dieną, pirmadienį, dėl daugybės nesutarimų namie su motina aš nusprendžiau išeiti iš namų“.

24

Tagarto rūmai

Tagarto rūmus pastatė turtingas Viktorijos laikų prekybininkas, siekdamas padaryti įspūdį savo draugams ir priešams savaisiais turtais. Kai 1863-iaisiais jis mirė, tai, kad ir kaip norėjo padaryti įspūdį Dievui, vis dėlto pasiimti nei namų, nei pinigų negalėjo, todėl rūmai atiteko neturtingiems Oksfordšyro vaikams. Ištisus šimtą ir dar keturiasdešimt metų rūmuose gyveno jaunieji vogtų automobilių lenktynininkai, padegėjai ir plėšikai iš Temzės slėnio apylinkių ir, kadangi rūmai turėjo rakinamą, saugų prie pagrindinio pastato prišlietą priestatą, čia gyvenau ir aš.

Atvažiavau iš ryto kuo anksčiausiai, kad kiti ten pakliuvę paaugliai neišlėktų į kosmosą, išvydę mano atvykimo spektaklį.

Rūmai didžiuliai, su bokštais ir galerijomis, pretenduojantys būti pilimi, privažiuojamoji alėja tokia ilga, kad užtektų vietos dvidešimčiai futbolo aikščių. Neaukštai pakibusio mėnulio šviesoje viskas čia atrodė tarsi iš Hamerio siaubo filmo, užlieta sidabrinės mėnesienos ir draskoma ilgų šešėlių nuo aukštų medžių, apstojusių namą ir vedančių prie paradinių durų.

Tomas, žilagalvis šios gyvenamosios vietos socialinis darbuotojas, iš išvaizdos ir elgesio kaip armijos viršila, sėdėjo man už nugaros nežymėtame policijos automobilyje ir viską aiškino.

– Žinoma, tu keliauji į saugomą bloką. Neturėsi laisvės išeiti ir grįžti kaip kiti vaikai, bet juk nieko geresnio ir nesitikėjai, ar ne?

– Ne!

– Tebesi vaikas, prieš įstatymą. Taip jau išeina, jeigu išvengei kelionės į jaunų nusikaltėlių įstaigą. Tau pasisekė.

Mums einant iki paradinių durų, Tomas gniaužė man alkūnę taip, kad kreidą būtų sutrupinęs į miltelius. Pasistengiau neišsiduoti, kad skauda. Bedžiau pirštu į pabalusius jo krumplius ir pasakiau:

– Tomai, niekur aš neketinu bėgti.

Jis apsižvalgė. Paskui mus žengė du neuniformuoti pareigūnai. Jis atleido gniaužtus, ir man vėl gyslomis plūstelėjo kraujas. Nuėjome niūriu koridoriumi iki plačių tamsių durų.

Ant durų buvo apsauginis skydas. Tomas kyštelėjo į spynutę asmeninę kortelę ir nuostabiai sparčiai suspaudeliojo dvylikos skaitmenų kodą. Išsitraukė ilgą raktą ir įkišo giliai į masyvias duris.

– Mielieji namai namučiai, – pasakė ir atidarė duris.

Uždegė šviesą. Policininkai žengė paskui mus pro virtinę užrakintų durų. Kiekvienos buvo su stebėjimo akute, ir galutinai įsitikinau vėl atsidūręs kalėjime.

– Visi kambariai daugmaž vienodi, – paaiškino Tomas, koridoriaus gale atidarydamas paskutines duris. – Lova, kriauklė, unitazas, stalas ir kėdė... Ar mėgsti būti vienas? – staiga pasiteiravo.

– Turbūt, – atsakiau žengdamas į kamerą.

– Tuo geriau, – patikino Tomas. – Čia tu daug laiko praleisi vienas. Tu nekaltas, kol kaltė neįrodyta, taigi galėsi priiminėti lankytojus, kada patiks, nors ir iki trečios valandos ryto. Paštas, laikraščiai, viskas, ką tik tavo artimieji ir draugai norės atsiųsti, jei tik nieko draudžiamo.

– Ar dabar bloke daugiau nieko nėra? – pasidomėjau.

Tomas papurtė galvą ir mostelėjo smakru lovos pusėn.

– Labanakt!

Užgesino šviesą ir uždarė duris, man nespėjus atsigręžti ir dar ką nors pasakyti. Užrakino mane nakčiai.

Mėnesiena glamonėjo grotuotą langą ir smelkėsi į kamerą. Ši priminė dvasių buveinę, kur jos tikrai galėjo susirinkti baigusios žemišką kelionę. Sėdėjau ant grindų ir klausiausi, kaip tyliai žvanga įsivaizduojamos jų grandinės. Staiga pajutau, kad mano sveikas protas balansuoja ant siaurutės penso briaunelės. Kažkur prie lango sugirgždėjo ir sugaudė centrinio šildymo vamzdis. Tarsi iš manęs būtų nusikvatojęs Ričardas Paikas.

Atsistojau, atsitiesiau visu ūgiu, pasisukau į langą ir, įsirėmęs kumščius į šonus, nusikvatojau ir aš – garsiai, smarkiai. Paskui viskas nurimo, kambarys paskendo tyloje.

Nusispyriau sportbačius – raištelių vis dar nebuvau atgavęs – ir palindau, pusiau nusirengęs, po dygsniuota antklode. Kai miegas pradėjo maldyti perkaitusių smegenų dieglius ir danguje mėnulis ėmė slinkti į šalį, aš juste jutau tris ilgus, laibus šešėlius krintant nuo grotų virbų man ant veido.

„Vaiduoklių čia nėra, – raminausi, – ir vaiduokliai čia nesusirinks!“

* * *

– Įrašau į garsajuostę, – pasakė Parker. – Apygardos komisaras Veitsas pateikia Danieliui Andersonui Ričardo Paiko ranka rašytą prisipažinimą, kuriame šis nesigina žinojęs apie Ketės Hevlet mirtį ir kad matė kaltinamąjį Danielių Andersoną spardantį jai į galvą ir padarantį sužalojimų, nuo kurių ji ir mirė. Perskaityk šitą, Danieliau.

Lėtai perskaičiau prasimanymus ir grąžinau Parker.

Renginio metu Danielius man pasakė: „Pamokykim tą bjaurybę, kad atsimintų!“ Jis turėjo galvoje Ketę, kurią pavežėm. Jau abu buvom apsvaigę nuo amfetamino ir gėrėm. Aš jam pasakiau, kad liautųsi, ir jis nuėjo šalin apsinešęs. Bet jo niekur nebebuvo matyti. Buvo pradingus ir Ketė. Nuėjau prie durų ir pamačiau juodu einančius į laukus, kur ji žuvo. Taigi ėjau paskui juos, bet jie dingo man iš akių, nes buvo tamsu. Ėjau toliau, šaukdamas juos, ir išgirdau riksmą. Nuėjau į tą pusę ir pamačiau, kaip jis ją spardo ir daužo su akmeniu. Kol pribėgau, jau buvo per vėlu. Jis ją nužudė. Danielius nužudė Ketę. Suprantu, esu kaltas, jog nepranešiau policijai, taigi dėl to, kad jo neišdaviau, pripažįstu savo klaidą ir už tai turiu būti nubaustas.

– Kodėl tu taip padarei, Danieliau?

– Nieko aš nepadariau. Jis melagis! – tyliai pasakiau.

– Danieliau, – kreipėsi Veitsas, – mes gavom pareiškimus iš dviejų merginų, iš Ketės draugės ir iš Ketės pusseserės, iš Lauros ir Džeinės. Jos apibūdino tave kaip besielgiantį keistai. Jos matė tave vartojantį narkotikus. *Tu* bandei įpiršti narkotikų ir *joms*.

– Jos sakė, kad tu pavartojai narkotikų „Mažojo virėjo" tualete, kad buvai „dingęs nežinia kiek laiko ir grįžai vos ne kliedėdamas". Taip sakė Džeinė.

Aš tylėjau.

– Kodėl tu taip padarei, Danieliau? – nekantravo sužinoti Veitsas.

– Gal ji iš tavęs pasišaipė? – paklausė Parker.

– Pasikarščiavai? Ar dėl to? – kvotė Veitsas.

– Atsiprašau, bet nemanau, kad dar yra prasmės atsakinėti į jūsų klausimus, – pareiškiau. – Jūs manęs negirdit!

Atsilošiau ant kėdės ir spoksojau į juos.

– Kodėl *tu* negalėtum leisti *mums* atsipūsti, – paklausė Veitsas. – Pasakyk tiesą dėl paįvairinimo.

– Tiesą aš sakiau visą laiką, betgi jūs manim netikit. Neturiu daugiau ko nė sakyti.

– Danieliau, noriu padaryti tau paslaugą, – tarė Parker. – Noriu tave įspėti. Šiais laikais šitoks sąmoningas tylėjimas teismo yra laikomas kaltės pripažinimu. Ar supranti? Kenki tik sau, niekam kitam.

– Gerai! – apsigalvojau. – Jis tyčiojasi iš jūsų visų, iš mūsų visų!

– Ką turi omenyje?

– Kai jis nužudė Ketę, aš buvau kažin kur toli. Išėjau iš renginio ir važinėjausi mašina.

– Betgi, Danieliau, mes gavome kaltės įrodymų. Ant tavo drabužių radome Ketės kraujo pėdsakų.

– Ričardas priėjo ir mane apkabino. Štai kaip išsitepiau jos krauju. Jis pasekė man pasaką, kaip mušėsi su trimis tipais. Mes važiavom nusiprausti upelyje.

– Neatrodo, kad tas būtų tiesa, – pareiškė Parker. – Net neatrodo, kad tas apskritai būtų panašu į tiesą.

– Danieliau, – toliau kalbėjo Veitsas, – argi iš tikrųjų manai, kad šituo patikėsim?

– Padarysime pertraukėlę, – tarė Parker. – Poros minučių.

Jie paprašė atnešti arbatos ir nuėjo tyliai pasitarti kamputyje, kur nesigirdėtų.

Pasisukau į ponią Ker ir į mamą. Iškėliau aukštyn rankas, prislėgtas pralaimėjimo tarsi fizinio sunkumo, kuris buvo užgriuvęs galvą, sprandą ir pečius.

– Mama, tikriausiai aš jau kraustausi iš proto.

– Ne, nesikraustai, Danai. Tiesiog tau nesiseka. Dar viskas pasikeis. Turi pasikeisti.

– Būk kantrus, – prisakė ponia Ker. – Nedaryk ir nesakyk nieko kvailai. Tu talkink.

– Gerai! – tarė Parker. – Tęsiame apklausą... Dvylika valandų dvidešimt penkios minutės... Dalyvauja tie patys asmenys...

Veitsas atsisėdo ir pasisuko į mane.

– Danai, – atsiduso, – mes žinome, kad turėjai motyvą užpulti Ketę.

– Lapių medžioklė! – paskelbė Parker. – Tu jos neapkentei dėl to, kad ji dalyvavo medžioklėje. Štai kodėl ją nužudei... Nes žvėries gyvybė tau vertesnė už žmogaus.

– Netiesa, – beviltiškai bandžiau gintis.

– Ar tu pažįsti ponią Sarą Blekvel, Danieliau? – paklausė Parker.

– Ne, nesu nė girdėjęs.

– O ji tave pažįsta. Ji yra „Baltojo elnio" savininkė. To viešbučio, kuriame nakvojote tą naktį prieš lapių medžioklę. Ji padarė pareiškimą, pasakė girdėjusi tave sakant, cituoju: „Oi, kaip norėčiau pričiupti porą raudonšvarkių ir perskelti jiems galvas!" Ar sakei taip?

– Taip, sakiau... bet neturėjau galvoje, kad iš tikrųjų. Aš tik taip pasakiau.

– Tu pasiekei, ko troškai, Danai. Tu iš tikrųjų perskėlei porą galvų... – pasakė Parker labai susikrimtusi, bet vis dėlto priminė katę, letena prispaudusią peliuką.

– Mes turime kaltės įrodymų, motyvą ir liudytoją, kuri girdėjo tave sakantį, ką norėtum padaryti, prieš tau taip ir padarant. – Veitsas prie manęs taip prilindo, lyg ketindamas gaivinti kvėpavimu iš burnos į burną, pūtė kvapą į akis ir ausis.

Parker atsikėlė ir tarė:

– Danieliau Andersonai, kovo aštuonioliktąją, šeštadienį, Čiping Nortone, Oksfordo grafystėje, aš kaltinu tave nužudžius Ketę Hevlet...

Veitsas oficialiai užbaigė apklausą ir išėmė garsajuostes. Vieną padavė poniai Ker, o kitą įkišo į rudą voką kaltinančiajai šaliai.

– Gerai! Kol kas daugiau klausimų nebus. Grįžk į Tagarto rūmus!

25

Meilės laiškai

Sėdėjau prie savo stalo ir valgiau plaktą kiaušinienę su skrudinta duona. Į duris pasibeldė Tomas ir pašaukė:

– Ar turi laiko, mergišiau?

Padėjau peilį su šakute ant stalo ir nuėjau prie durų.

– Užeikite, Tomai!

Jo paprastai toks akmeninis veidas buvo išvagotas džiaugsmo raukšlelių. Rankose laikė nedidelį ryšulėlį vokų. Kai pamosavo jais, kambaryje pasklido pigių kvepalų aromatas.

– Čia amūriukai!

– Kas kas?

– Dabar tu garsenybė.

– Ne, jokia garsenybė. Kaip laikraščiai drįsta malti vis tą patį, kas aš esu, ir dar spausdinti nuotrauką? Aš dar per jaunas kaip nors vadintis... Taip sakė ponas Džonsas!

– Oi, Danai, – nusijuokė Tomas. – Juk toks šiuolaikinis pasaulis!

Nusviedė ryšuliuką ant lovos. Mano pavardė ir dabartinis adresas ant viršutinio voko atrodė rašyta moteriškės.

– Tu esi garsenybė, sūneli. Spaudoje tai nieko apie tave ir nerašo, bet internete yra septynios tau skirtos svetainės!

– Juokaujat!

– Ne, Dieve gink, pilna tavo nuotraukų ir visko apie tave. Pilnas internetas.

– Nuotraukų?! Kokių nuotraukų?

– Nežinau, aš po internetą nenaršau.

Staiga visai nebesinorėjo pusryčių, bet nenorėjau parodyti, kad man labai rūpi tas ryšulėlis ant lovos. Tomas išeidamas stabtelėjo tarpduryje.

– Ką, Tomai?

– Tai tu jų neatplėši?

– Ne, – pasakiau ir vėl ėmiau valgyti. – Noriu papusryčiauti.

Vos tik jis uždarė duris, atsisėdau ant lovos ir pasiėmiau tą krūvelę. Praskleidžiau vokus. Visi tos pačios spalvos, balti, vienodo dydžio, A3 formato, su vienodais pašto ženklais – su Hastingso kurortu, išsiųsti tą pačią dieną, rugpjūčio 1-ąją, ketvirtadienį, visi užrašyti ta pačia dailia sujungtų raidžių rašysena, ryškiai violetiniu rašalu. Kiekvienas vokas su numeriu kairiame viršutiniame kampe – nuo 1 iki 13. Atlupau pirmo voko atlanką, ištraukiau baltą neliniuotą popierių ir ėmiau skaityti kruopščiai surašytą laišką.

Vono g-vė 17
Hastingsas
Rytų Saseksas
HR1 1RH

Rugpjūčio 1-oji, ketvirtadienis

Mielas Danai,

Aš suprantu. Noriu aiškiai šitai pasakyti prasidedant mūsų draugystei. Aš suprantu sunkumus ir problemas, kurios paskatino tave atimti gyvybę nekaltam kūdikiui, be to, leisk man aiškiai pasakyti, kad aš tavęs nesmerkiu dėl to ir dėl nieko, dėl jokio poelgio. Priešingai. Tikrai. Nors dar nežinia, ar tu esi kaltas, kol to neįrodė teismas, vis dėlto tu juk tą padarei, ar ne, Danuti?!!?! (Tu esi ryški interneto žvaigždė, mano meile.) Reikalas tas, kad aš tave myliu. Kai tik pamačiau ekrane tavo nuotrauką, kur tu vilki dailų velvetinį švarką, man iš silpnumo viskas širdy apvirto aukštyn kojomis iš meilės tau, Danai. Danai, Danai, Danai, vis kartoju tą žodį, kuris skamba maloniai kaip muzika mano vargšėms ausims. Noriu tave netrukus aplankyti, turiu tave pamatyti, išsiaiškinti, ar mano jausmai tikri, parodyti tau, kad myliu tave visa savo sąmone ir širdimi, ir kūnu, nes laiške tai yra viena, nors puiku ir aš tave pasiutiškai myliu, vis dėlto tarp mūsų yra atstumas, kurį įveikti gali tik susitikimas. Aš padėsiu tau atlaikyti visą šį reikalą ir ištikimai lauksiu tavęs, kiek reikės, ir kai tau sueis šešiolika, per tavo gimtadienį mes galėsime susituokti ir susilaukti vaikų. Žinau, kad tu būsi geras tėvas, matau iš tavo akių, tu mielas vaikinas. Aš esu Džuljeta Morisi, 21-erių amžiaus ir gyvenu drauge su mama. Aš esu po-

zuotoja ir pridedu savo nuotrauką, neseniai padarytą per pastarąjį pozavimą. Noriu mesti pozavimą, kad galėtume jaukiai drauge gyventi, todėl sakyk, ar myli mane, Danai, meldžiu, pasakyk, parašyk man ir pranešk kuo greičiau, ir pasakyk, kad mudu susitiksim, Danai, neapvilk manęs, maldauju, nes aš mirčiau iš sielvarto. Myliu tave kaip nieką kitą pasaulyje, susisaisčiusiame internetu.

Džulija

xxxxxxxxxxxxxxxxxxxxxxxxxxxxxxxxxxxxxxxxxxxxx

Voke radau ir sulankstytą puslapį, išplėštą iš žurnalo „Sveikas!“ Ten buvo pusnuogė mergina. Taigi čia – Džulija?

Atskleidžiau antrąjį laišką ir perskaičiau daugmaž tą patį. O perskaitęs penktąjį lioviausi. Nusprendžiau, kad jau bus gana. Man skaudėjo galvą.

26

Su šešioliktuoju gimtadieniu!

– Tave kai kas aplankė, – pasakė Tomas, atlapojęs duris.

– Mama!

Nemąstęs šokau iš lovos ir puoliau prie durų jos pasitikti. Bet tarpduryje pasirodė tėtis, nešinas didžiule ruda kartono dėže ir su sustingusia veide šypsena, lyg dirbtinai nutaisyta kaip begarsiame filme.

– Tėti, – tepasakiau slėpdamas neviltį, kad išvydau ne mamą, ir sukrėtimą, kad išvydau jį. – Užeik, tėti!

Ant dėžės buvo užrašas: „„Šarpas', 35 cm, spalvotas nešiojamasis televizorius".

– Su gimtadieniu, sūnau! – Jis pastatė dėžę ant stalo ir tarė: – Atidaryk!

Suėmė mano ranką ir smarkiai, vyriškai pakratė. Tik tada sugebėjau išsivaduoti ir imtis dėžės.

– Tu nustebai, mane išvydęs?

– Truputį. Ačiū už atviruką.

– Neabejoju, kad susimąstei: „Ei, o kur pinigai?"

– Ne, tikrai ne. Aš vis tiek negaliu slankioti po parduotuves.

Iškėliau televizorių ir suradau nuotolinio valdymo pultelį. Televizorius buvo matinės juodos spalvos ir turėjo viršuje įtaisytą sidabrinę žiedo formos kambarinę anteną.

– Labai ačiū, tėti.

– Jau tiek tai tikrai galiu.

Dėl šito aš nesiginčijau.

– Ar džiaugiesi mane matydamas?

– Taip, tėti, man malonu tave matyti.

– Ar mama tau sakė, kad grįžau į Liverpulį, visam laikui?

– Taip, sakė.

– Gyvenu pas tavo tetą Mei.

– Kaip teta Mei laikosi?

– Ji... Na, dėl šios naujienos tai nelabai... Na, kai taip viskas pasisuko.

– Ta baidyklė amžinai tik ir skundžiasi savo likimu.

Tėtis tik susigūžė, pašnairavo, bet aš nesivaržiau:

– Atleisk, tėti, aišku, ji tavo sesuo, vis dėlto nesijaučiu esąs įpareigotas toliau slėpti savo jausmus.

Jis nutaisė lyg ir skausmo kupiną šypseną.

– Na, jei sūnus ir tėvas negali vienas kitam rodyti širdies...

Jam vos pradėjus aiškinti, tuoj nusukau kalbą kitur.

– Mama sako, kad tu dirbi.

Kai tėtis ėmė kloti man viską apie savo gyvenimą, atkreipiau dėmesį į jo drabužius, pirmiausia į švarką. Visiškai naujas, pastelinio atspalvio purpurinis, pusamžio vyriškio merginamasis švarkas, derantis prie natūralių jo plaukų šviesulių. Tikras siaubas. To švarkelio šeimininkas tarsi šaukte šaukė: „Neturiu aš skonio, bet manau, kad esu iš naujo atgimęs madas diktuojantis dabita!"

– Ar tau nepatinka šis švarkas? – staiga paklausė tėtis.

– Kodėl... patinka...

– Betgi tu nenuleidi nuo jo akių ir raukaisi?

– Kalbėk, tėti, – paraginau įsivaizduodamas jį kokiame nors bare plepantį su moterimi, gal kokia labai jaunute ir nelabai išrankia, ir visiškai kuoktelėjusia. Jo kaklaraištis derėjo prie švarko ir buvo nusėtas mažyčių baltų taškelių. Spėliojau, kokiais melais jis galėtų apsukti merguželei galvą ir ar aš nebūsiu paveldėjęs iš jo polinkio merginti sulaukus šitokio amžiaus.

– Kaip jau sakiau, – toliau dėstė jis, – dirbu apsaugos bendrovėj apsaugininku, bet tik kol kas. Kadrų viršininkas mano, kad turėdamas tokią patirtį netruksiu sulaukti ir šio to geresnio.

– Puiku, džiaugiuosi.

– Mano postas Kleitono aikštės prekybos centre. Ilgai apsaugininku nebūsiu...

– Tėti, ko tu nori?

– Atvažiavau tavęs pamatyti, Danai, juk tavo gimtadienis.

– Na, taip. Bet aš jaučiu, kad nori manęs kažko paklausti.

– Ne, Danai! – pasakė tvirtu balsu, nors iš akių mačiau, kaip sunerimęs.

Atsitiesė ir apsidairė po kambarį. Supratau, kad jo kalba, laimei ar nelaimei, tuoj vėl pasisuks kitur. Ir gerokai kitur. Jis išsitraukė iš kišenės pakelį cigarečių, bet prieš užsidegdamas luktelėjo ir paklausė:

– Galima?

Ir užsidegė.

– Danai, ką tu žinai apie Ričardą Paiką?

– Labai nedaug, – atsakiau. – Ir ką jis man pliauškė, buvo gryni melai. O ką?

– Aš vis dar pabendrauju su kai kuriais tipeliais iš policijos. Čia tiesiog... Tas vaikinukas yra tiesiog visiška paslaptis. Man pasidarė įdomu, gal ką žinai.

– Pasakiau poniai Ker ir ponui Džonsui visiškai viską, kiek tik žinau. O tau ko parūpo?

– Tie rašiniai laikrašty, apie Nematomą žmogų...

– Oi, tėti, išgalvojo, kad daugiau parduotų laikraščių! – nutraukiau jį, atsistojau ir ėmiau vaikščioti, bet jis varė toliau.

– Žinai, jis pasakė tardytojams esąs Ričardas Paikas. Taip pat tardytojai negalėjo neatsižvelgti į faktą, kad jis tau pasakė esąs Lukas Frijersas, bet jis nėra įregistruotas niekaip. Gal tiesiog neranda. Nėra sveikatos duomenų nei kur mokėsi, nei valstybinio draudimo numerio, nei socialinės paramos duomenų, nei banko ar statybos kooperatyvo sąskaitos, nei vairuotojo pažymėjimo, nei kredito duomenų... Tarsi tokio nė nebūtų buvę.

Vengiau laikraščių kaip maro, bet girdėjau visus tuos gandus iš ponios Ker ir pono Džonso.

– Jeigu jau Paiko pavardė netikra, – pasamprotavau, – tai ar jo gyslomis bent teka kraujas? Ar jis raudonas, ar žalias, tėti?

– Kraujo grupė nulinė, rezus teigiamas... išnaršyti dingusiųjų sąrašai, bet nieko nerasta. Nėra stomatologinės kortelės, pirštų atspaudų irgi niekur nerasta... Jo nuotrauka buvo parodyta kiekvienai Jungtinės Karalystės šeimai, kurios dingęs sūnus nuo šešiolikos iki dvidešimt ketverių metų amžiaus, ir niekas nepareiškė jį pažįstantis.

– O gal kas nors nenori, kad jis grįžtų?

– Gal ir taip, Danai. Bet iki šiol atrodo, kad jis tiesiog nukritęs iš dangaus.

– Kaip jis ten su policininkais ir kalėjimo darbuotojais?

– Mandagus, bet neigia turėjęs tėvus, lankęs mokyklą ar normaliai gyvenęs. Sako nieko negalintis prisiminti iki tos akimirkos, kai susitiko tave. O nuo tos akimirkos jo atmintis esanti puiki. Jis net prisimena, kaip įsigijo reindžroverį. Ar tau sakė, kur gavo pinigų?

– Taip, tėti, jis išklojo man širdį veriančią istoriją. O kokia tiesa? Tikriausiai pavogė. Ar dar nepaaiškėjo? – pasiteiravau numanydamas atsakymą.

– Ne. Nieko. Nė jokio pėdsako.

Tėtis sumaigė cigaretę kriauklėje, kur prausiausi veidą, ir prisipylė stiklinę vandens.

– Jis iš visų šaiposi, – paaiškinau, ir mane vis smarkiau ėmė krėsti šaltukas, kai tėčiui pavyko man priminti, į kokią bevardiškumo miglą įsisupo Paikas ir kokiais įmantriais mitais jis apaugo. – Jis sprogtų iš juoko, jei išgirstų, kaip čia sėdim, pora apkiautėlių, ir šitaip kalbamės. Tu nori žinoti, ką aš manau, tėti? Apie Paiką? Ogi manau, kad jis yra iš kokio paprasto namiūkščio, stūksančio kokiame nuobodžiame miestpalaikyje, iš kokios nors niūrios siauros gatvelės, iš kokios nors nuskurusios šeimynėlės, turinčios savo šlykščių paslaptikių ir nešvarių troškimukų. Štai ką aš manau. Pukšt, ir istorijos pabaiga.

– Danai, jo nuotrauką parodė per kriminalinę laidą. Aštuoni milijonai žiūrovų ir... – spragtelėjo pirštais. – Žinai, kokie atsiliepimai? Nė vieno skambučio, net nė iš jokio pamišėlio.

– O kaipgi jo parašai viešbučių registracijos knygose?

– Savo pavardę jis rašė spausdintomis raidėmis, o adresą pateikė tiesiog išgalvotą, visiškai. Atrodo, tarsi jis...

Tėtis užsidegė kitą cigaretę ir giliai įtraukė dūmą, ieškodamas tinkamų žodžių:

– Jis tarsi koks vaiduoklis!

– Tėti, žinai, tiesiog negaliu patikėti, kaip tu užkimbi už tokių nesąmonių.

– Aš tik persakau, ką esu girdėjęs.

– Na, leisk man tave patikinti, kad jis valgo, geria, miega ir vaikšto į tualetą.

– Žinoma, bet aš tiesiog...

– Tai kam dar reikia man aiškinti? Pateik man grynus faktus, o visą šlamštą palik šiukšliadėžei.

– Danai, aš mėginu įsitverti faktų.

– Gerai, tėti, – pasakiau tyliai, – pateiksiu tau faktą, tinkamą įsitverti. Ogi faktas toks, kad jis apvynioja apie pirštą teisėtvarką, policiją, žiniasklaidą, apvynioja kiekvieną, kam pakanka bukumo užkibti už jo pasakaičių. Jis ne minties gigantas ir nėra atskridęs iš kosmoso. Bet juk reikalas tas, kad ne taip paprasta yra šitaip atkakliai apsimetinėti, atseit, tą atsimenu, o šito ne, taigi anksčiau ar vėliau jis vis tiek prieis liepto galą. Pats prisivers sau uodegą. Ir visi tie, kurie skleidžia nesąmones ir tuščias spėliones, paskui dievagosis prie to nė kiek neprisidėję. Pamatysi.

– Televiziją žiūrėt mėgsti? – staiga nei iš šio nei iš to paklausė.

– Taip, mėgstu. Ačiū, tėti!

Kalbėjau šiurkščiai, bet paistalai apie Nematomą žmogų mane tikrai išerzino. Tamsiuosiuose mano sąmonės užkaboriuose suskambo keisti balsai. Nuaidėjo paodžiu per visą kūną, ir visa mano oda pašiurpo. Staiga apėmė siaubas. Pusė kūno tarsi skendo, o kita pusė buvo bejėgiškai paralyžiuota, tegalėjo tik viską stebėti.

– Pritaisiau kištuką. Pagalvojau, kad po ranka neturėsi atsuktuvo.

– Pagalvojai teisingai.

– Tau ne šalta? – pasiteiravo. – Tu drebi.

– Vasaros žvarba, – atsakiau.

– Uždarytas centrinio šildymo patalpoj, – sumurmėjo nusivilkdamas švarką.

Jam apie pažastį pasirodė drėgmės skritulys. Tėtis įjungė televizorių ir ėmė spaudyti kanalus, sukinėti kambarinę anteną, kad paryškėtų vaizdas.

– Na, matosi gerai, – padarė išvadą, žiūrėdamas į baigiamuosius „Kaimynų" serijos titrus, ir čia pat pareiškė: – Danai, yra ir dar kai kas.

Atsigrįžo ir pasižiūrėjo į mane iš viršaus. Šypsodamasis žvelgė tiesiai į akis. Aš buvau visiškai teisus. Jam tikrai rūpėjo kai kas asmeniškai, ir dabar jau kalbėsimės be menkiausių užuolankų.

– Ko tau reikia, tėti?

– Danai, aš pirmas pripažinsiu, jog buvau kuo didžiausias kvailys, kad palikau tave ir tavo motiną, kad palikau viską dėl...

Jis nebegalėjo ištarti jos vardo. Gana keista. O aš galėjau:

– Dėl Paskalės, – sušnabždėjau prisimindamas, kaip išvydau ją vilkinčią juodą maudymosi kostiumą.

Jis kiek susiraukė ir pasiskubino nukreipti kalbą nuo jos vardo ir susijusios su ja praeities.

– Aš jau niekaip nesugrąžinsiu praėjusio laiko ir neatšauksiu to, ką esu padaręs blogo... Bet galiu pasistengti, kad ateitis taptų geresnė. Pasakysiu tiesiai. Noriu grįžti namo. Noriu susitaikyti su mama ir pabandyti iš naujo.

– Tai tu jos ir klausk!

Tai štai koks buvo jo gyvenimas pas tetulę Mei. Ši mintis mane pralinksmino ir teko užgniaužti šypseną.

– Aš tai padariau, na... Ji buvo įskaudinta, esu dėl to kaltas, taigi ne taip lengva jai bus sutikti, kad...

– Tu nori, kad aš tave užtarčiau?

– Skaitai mano mintis, sūnau, tikriausiai esi aiškiaregis.

– Padėsiu, kiek pavyks.

– Danai, nuoširdžiai tau ačiū.

– Tik neprižadu, kad kas išeis. Kaip sakai, ji įskaudinta. Bet pabandysiu.

Mūsų pokalbis netikėtai atsitrenkė į kietą tylos sieną ir nutrūko. Pastebėjau, kaip tėvas akies kraštu žvilgt į savo rankinį laikrodį.

– Danai, man reikia važiuoti į Liverpulį. Turiu reikalų, juk supranti.

– Žinoma.

Abiem palengvėjo, kad jo apsilankymas baigiasi. Abu stovėdami kratėm vienas kitam ranką – „dvigubai greičiau", kaip tėvas su sūnumi toj skutimosi peiliukų reklamoj.

Jis savo atliko ir išėjo. Paspaudinėjau kanalus ir užkliuvau už kramtomosios gumos reklamos su krintančia atmintin dainele. Ir paleidau gerklę kuo garsiausiai pritardamas. Puoliau nuo lovos ir be jokio džiaugsmo kaip laukinis ėmiau šokti strakaliodamas po visą kambarį.

Nevenk malonumo ir džiaugsmo nevenk,
O čia tai bent, o čia tai bent! Su guma gyvenk!

* * *

– Nustatėme teismo datą, Danai, – pasakė ponas Džonsas lyg tarp kitko, labai jau tarp kitko, tarsi būtų pasakęs, kad, kaip netikėtai prisiminė, vakar pirkosi rudus batraiščius.

Jis padavė man atsineštą laišką. Pastaruoju metu dariausi vis jautresnis balsų intonacijai ir iš paskutiniųjų stengiausi įskaityti menkiausius mimikos niuansus, išsiaiškinti nežymiausius emocijų vingius. Nuo Ker ir Džonso man sugėlė dantis, todėl nusigręžau ir atskleidžiau laišką. Akys gaudė pačias svarbiausias spausdinto teksto detales: „Spalio 31-oji, ketvirtadienis, 10 val."

– Tikrai labai greit, – tarė Džonsas. – Kartais reikia laukti devynetą mėnesių, metus, ilgiau kaip metus, o dėl tavo reikalo tai skuba kaip pasiutę.

„Nes mane pričiupo", – pagalvojau.

– Spalio 31-ąją? Per Helovyną?! Na, bent jau nebereikės ilgiau laukti. Pagaliau žinosim, kas baisiausia, – balsu pasamprotavau. – Per Helovyną, kada piktosios dvasios vaikšto žeme...

– Dėl Helovyno, tai tu neprietaringas, ar ne?

– Ne, – patikinau. – Bet bylos taip skubinamos atiduoti teismui, kai visiškai neabejotinas nuosprendis. Tėtis ne kartą tai yra sakęs.

– Na, taip, Danai, – negalėjo nepripažinti Džonsas. – Bet nepamiršk, ant teisiamųjų suolo sėdat juk dviese. Turi tikėti, kad neabejotinas nuosprendis teks Paikui!

– Aš stosiu prieš Nematomą žmogų?

Dabar supratau, kodėl manoji teisininkų komanda skleidė tokį neįprastą virpulį. Ankstyva data buvo paskutinis, mirtinas smūgis mano trapiesiems laisvės sapnams.

– Tu juk nesi kaltas, – įsiterpė Ker, – tai ir nemąstyk kaip kaltas, nekalbėk kaip kaltas ir nesielk kaip kaltas!

Atkreipiau dėmesį, kaip juodu stebi mane ir kaip žiūri vienas į kitą. Žvilgčiojo į kits kitą, laukdami, kuris kalbės pirmas.

– Manau, – tyliai pareiškė Džonsas, – patyrei nemenką sukrėtimą.

Atsisėdau ant lovos. Aš buvau susiėmęs. Atidžiai klausiausi. Ponia Ker atsisėdo greta manęs ant lovos ir suspaudė mano ranką savosiomis.

– Patyrei bjaurių išgyvenimų, todėl mes truputį nerimaujame dėl...

– Man šešiolika metų, mano vardas Danielius, Žemė sukasi aplink Saulę, du plius du yra keturi, aš turiu pačių didžiausių nemalonumų, kokių tik gali turėti žmogus, ir tikriausiai iki savo dienų galo tupėsiu už grotų, aš išsigandęs, tas tiesa, bet aš neišprotėjęs!

Džonsas išliko tvirtas, bet ramus.

– Nemanom, kad tu beviltiškas psichikos ligonis. Bet juk netiesa būtų sakyti, kad nesame susirūpinę.

– Na, tai ar seniai jūs dėl manęs susirūpinę?

Kiekvieną kartą, išėję po pasimatymo su manimi, vos tik užverdavo duris, jie tikriausiai kaipmat pakeisdavo kalbos toną: „Kaip manai, kokia jo savijauta? Ar pastebėjai, kaip veidas sutrūkčiojo, kai suskambėjo rankinio laikrodžio žadintuvas?"

– Mes nerimaujam dėl to, kaip tu elgsiesi teisme. Turime įsisąmoninti tikrovę prieš atsidurdami tenai. Tau reikės sėdėti ant teisiamųjų suolo su Paiku ir atlaikyti įvairiausius klausimus. Bandysime teismą nukelti. Galime parodyti tave gydytojui.

– Bet aš visai nenoriu.

– Kodėl, Danai? – ponia Ker pabandė sugauti mano žvilgsnį.

– Kodėl? Ogi todėl, kad daktaro reikia tada, kai susergi. Nuo kovo iki gegužės mačiausi su visu būriu psichiatrų, ir jie nustatė, kad „viskas puiku", nepamenat? Ar Paikas su psichiatrais bendrauja?

– Paikas... Taip, be abejo! – patikino ponas Džonsas.

– Taip, nes jis yra visiškas pakvaišėlis. Kartoju: nesu išprotėjęs ir nesu kaltas. O ką jūs ką tik sakėt? Aš nesu kaltas, tai ir nemąstau kaip kaltas, nekalbu kaip kaltas ir nesielgiu kaip kaltas! Ir nesislapstau. O kam atidėlioti? Kodėl jūs norit trumpam atidėti tai, kas neišvengiama?

– Gerai, Danai. Mes tave supratom. Ne, aš esu tikras, kad viskas bus gerai, – nusprendė Džonsas. – Taigi spalio trisdešimt pirmąją. Turim parengti prašymą dėl tavęs.

Pažvelgiau į ponią Ker. Ji gūžtelėjo pečiais ir tarė:

– Aš esu tikra, kad susitvarkysi kuo puikiausiai.

Dienai gaubiantis prieblanda, kai visi išėjo, kai užrakino duris, kai nieko nebebuvo koridoriuje, aš priėjau prie lango ir, žvelgdamas pro grotų virbus, išvydau stikle savo atvaizdą. Pagalvojau: „Ar jie teisūs?"

Vaikystė jau buvo pasitraukusi iš mano veido, dabar man tiesiai į akis žvelgė keistokas jaunikaitis. Neabejojau, kad skirtumo niekas kitas nepastebi. Toks skirtumas niekam kitam ir nerūpi.

– Ar tu tiesiog tampi vyresnis, ir tiek? – paklausiau savo atspindžio. – O gal aš darausi vyresnis per greitai?

27

Helovynas

Ričardas Paikas stovėjo nusisukęs.

Kai nusigavau iki durų, už kurių turėjo vykti teismas, išvydau jį pirmą kartą po gerų septynių mėnesių. Abipus jo budėjo po uniformuotą policininką. Pabandžiau praeiti kuo tyliau, kad jis manęs neišgirstų, bet kuo labiau stengiausi žengti be garso, tuo triukšmingiau aidėjo žingsniai tarp plikų, plytelėmis išklotų Oksfordo karališkojo teismo pusrūsio sienų.

Žengdamas pro pat jį, vieną akies mirksnį mečiau smalsų žvilgsnį. Vilkėjo jis labai brangų kostiumą, nesiglamžantį juodą švarką, siūtą pagal užsakymą, jo pečiai buvo platesni, nei aš atsiminiau (lyg būtų kilojęs svarmenis), plaukai nepriekaištingai sutvarkyti, taisyklingai apkirpti, lyg ką tik būtų nužengęs iš plakato nuo kirpyklos sienos. Nejučia čiuptelėjau savo paties plaukus, užpakalyje pasistojusius, nes nugulėjau. Mama su tėčiu susimetė ir nupirko man puikų mėlyną kostiumą, gatavą, iš paauglių drabužių parduotuvės. Vos tik metęs žvilgsnį į jo nugarą, iš karto pamačiau, kad jis apsirengęs dešimteriopai ištaigingiau, nei išgalėčiau aš. Mano išvaizda atspindėjo savijautą, taigi aš ir atrodžiau, ir jaučiausi siaubingai.

Žengiau toliau. Staiga apėmė du troškimai. Pirmiausia tai šokti ant to galvijo su kumščiais, daužyti galva ir spardyti. O paskui apsisukti ant savo juodų lakuotų odinių pusbačių kulnų, pasprukti nuo policininkų ir pardumti į savo kamerą. Ėjau toliau, giliai kvėpuodamas, kad aprimtų virpulys, ėmęs kilti iš mano vidurių, kai žengiau per kelis metrus nuo jo ir tarsi užuodžiau jo brangų losjoną po skutimosi.

Kai jis jau buvo ranka pasiekiamas, mes pagaliau sustojome. Jis bemaž atsisuko. Pamačiau jo akį, džiaugsmingą besišypsančios burnos linkį, ryškią smakro liniją. Šitaip jis šypsojosi, kai tada parvažiavau, tarsi maloniai nustebęs mane matydamas, pats geriausias iš senų draugų. Ir jis juokėsi. Nusijuokė tyliai ir labai pasitikėdamas savimi. Ir paklausė:

– Danieliau, kaip laikaisi?

Atrodė labai patenkintas, kad mato mane, lyg nepaprastai džiaugtųsi, kad mudu vėl drauge, ir mane įsiutino. Įrėmiau žvilgsnį į jo vyzdį, juodą lyg angliukas, plūduriuojantį žydroje rainelės jūroje, ir paklausiau:

– Ričardas Paikas? O gal ir toliau vadinti tave Luku?

– Kaip su tavim elgėsi? – Jo žvilgsnis bėgiojo per mane aukštyn žemyn. – Gražus kostiumas, puikiai atrodai, – pridūrė. – Aš tai tupėjau jaunų nusikaltėlių įstaigoj su padegėjais ir panašiais. Siaubinga liaudis.

– Gerai, laikas! – pranešė policininkams tarpduryje išdygusi teismo sekretorė, nė nežvilgtelėjusi nė į vieną iš mūsų.

Žengėm toliau.

– Man buvo smagu, kad tavo pavardės neįtraukė į dokumentus, kad laikė globos įstaigoj. Ten geriau negu kalėjime. Nėra ko nė lyginti. Ar laikaisi gerai, Danieliau? Man neleido tau parašyti. Siuto ant manęs kaip reikiant. Tu gausi iki gyvos galvos, ar žinai, Danieliau, juk supranti, ar ne? Tu man atleisk, bet tave pasodins visam laikui.

Dabar lipom spiraliniais laiptais aukštyn, tarp mudviejų ėjo du policininkai, abu buvom tarp uniformuotųjų, ėjom visi vadovaujami juodai apsirengusios sekretorės.

– Žinoma, dabar nelengva pasikalbėti, Danieliau...

– Tai ir tylėk! Užčiaupk srėbtuvę, *Ričardai!*

– Nebūk šitoks. Prašau. Prisiekiu, Danieliau, rašysiu tau kas savaitę, o kartą per mėnesį atvažiuosiu tavęs aplankyti. Siuntinėsiu atvirukus per gimtadienį ir atsiųsiu kuklių puošalų tavo kamerai per Kalėdas. Nepamiršiu tavęs, net kai visas pasaulis pamirš, kaip tu atrodei, kai jau niekas nebeįstengs gerai prisiminti, kuo tu buvai vardu!

Taip kalbėjo Ričardas Paikas, mieliausias pasaulyje vyrukas, ir stebėjausi, kodėl sargybiniai jo nenutildo, kodėl jie leidžia taip su manimi elgtis.

– Ar pasiilgai manęs? Ar mąstei apie mane, kai buvai užrakintas? – paklausė.

– Žinoma. Mąsčiau apie tave be paliovos, vilkėdamas tramdomuosius marškinius ir svajodamas apie Hitlerį ir Trečiąjį reichą, ir giedodamas „Rytojus priklauso man" kaip padugnės naciai iš to seno filmo „Kabaretas". Žinoma, aš galvojau apie tave, tu, trumpakelni naci. Ir, beje, sumečiau, Ričardai, kad pinigai, kuriuos dėl manęs išleidai, buvo iš mano namų statybos ir kreditavimo kooperatyvo knygelės.

Na, iš tos, kur iš manęs pavogei, kai nugvelbei tualete mano krepšį... Taigi sakau tiesiog dėl įtraukimo į protokolą, kad nesu tau skolingas nė sudilusio penso.

– Danieliau, kodėl tu šitaip?

– Neaiškink man!

– Aš gi tau nesu priešas, Danieliau.

– Gerai, judu abu, gana plepalų! – sudrausmino teismo sekretorė.

Jai prie švarko buvo prisegta balta kortelė su užrašu „Elinora Džein". Prisidėjo prie lūpų pirštą ir šnypštelėjo, kad pabrėžtų savo nurodymą. Atidarė medines duris ir įvedė mus į teismo salę. Čia skausminga tyla sukaustė visas salės eiles. Į mus, žengiančius į teisiamųjų suolo aptvarą, įsmigo trijų teisėjų darbo grupių akys.

Visa salė net garsiai žioptelėjo iš smalsumo, kurį sukėliau kaip tik aš, nes manęs dar nebuvo matę. Viena moteriškė gana garsiai sušnabždėjo:

– Neatrodo, kad jis sugebėtų!

Policininkų palieptas, atsisėdau ant teisiamųjų suolo ir klausiausi, apie ką šnabždasi garsiai einantys prie savo suolo prisiekusieji. Pasisukau į kitą pusę ir išvydau Katiliuką. Ir Sarą Blekvel iš „Baltojo elnio". Lora ir Džeinė sėdėjo prieš Kailo mamą, ši greta Žebenkšties. Jis atrėmė mano žvilgsnį, pakėlė ranką prie savo galvos, iš pirštų padarė pistoletą, įsirėmė vamzdį į smilkinį ir staigiai atitraukė, lyg dėl šūvio atatrankos.

Žiūrovų salė lūžte lūžo ir iš pradžių neįstengiau rasti, kur mama ir kur tėtis. Sėdėjo juodu galinėje eilėje ir žiūrėjo į mane, bet tarsi kiaurai manęs, lyg būčiau kokia holograma. Mama pabandė nusišypsoti, bet šypsena išgaravo nespėjusi suspindėti.

– Visiems atsistoti! – paliepė teismo sekretorė, kai atsivėrė teisėjo kabineto durys. Aš atsistojau. Kojos linko nuo kūno svorio, teisėjui Andrui Vorlokui, vilkinčiam raudoną mantiją ir dėvinčiam baltą peruką, pradėjus savo įprastinę darbo dieną.

Staigiu mostu jis nurodė mums visiems atsisėsti ir gerą minutę studijavo dokumentą, gulintį priešais jį. Pakėlė akis, pasižiūrėjo tiesiai į mane ir vėl įniko į dokumentą.

Džonsas buvo man sakęs tikėtis trišalio mūšio – tarp jo, Karališkosios baudžiamojo persekiojimo tarnybos, kuri norėjo mudu abu patupdyti, ir Paiko advokato, pono Saundersο, kuris norėjo, kad Ričardas būtų išteisintas, o visą košę išsrėbčiau aš.

– Pone Džonsai, – kreipėsi Vorlokas. – Ar bus pateikta kokių ypatingų prašymų, atsižvelgiant į teisiamojo amžių?

Džonsas atsistojo, pažvelgė į mane ir vėl pasisukęs į Vorloką atsakė:

– Ne, milorde!

– Tuomet, – pareiškė Vorlokas, ir jo senas atšiaurus veidas gerokai susiraukšlėjo, o antakiai ryškiai atsikišo, – imsimės procedūrinių veiksmų ir patvirtinsime prisiekusiųjų sudėtį!

* * *

– Ponios ir ponai prisiekusieji!

Po visų nežemiškų ir kankinamų scenų, kurios sukdavosi mano galvoje, čia, šioje salėje, buvo konkreti tikrovė, su visomis ilgomis pauzėmis, kosėjimais ir čiaudėjimais, popierių vartymu ir žiūrovų nekantravimu. Kuo realiausia buvo ponia Debora Merfi, Karališkosios baudžiamojo persekiojimo tarnybos advokatė, kurios užduotis buvo uždaryti mane ir Paiką visam gyvenimui. Ji stovėjo prisiekusiųjų priekyje ir ėmė bendrais bruožais dėstyti savo argumentus mūsų nenaudai.

– Girdėjote kaltinimus teisiamiesiems ir girdėjote juos abu neprisipažįstant kaltės nė pagal vieną iš punktų: sunkus kūno sužalojimas, nužudymas, bendrininkavimas nužudant, šaunamojo ginklo imitacijos laikymas. Tikriausiai darote išvadą, ir teisingą, jog, anot seno posakio, jie yra verti, kad jiems būtų kaip reikiant prikirptos uodegos už visus darbelius. „Kodėl?" – tikriausiai paklausite. Labai paprastai. Visuomenė negali neprikirpti tokiems uodegų. Mes negalime leisti šiedviem vaikščioti mūsų gatvėmis. Mes ketiname parodyti, kad jie abu kalti dėl visko, kuo tik yra kaltinami, ir jų išsisukinėjimas yra ilgos absoliutaus melo grandinės pirmoji grandis!

Man ėmė siaubingai temti akyse ir giliai, skausmingai spausti smegenis.

Merfi nutilo, stumtelėjo ant nosies akinius ir tada kalbėjo toliau, gerokąvalandą, uždelsdama su konkretybėmis, kaip mes pagrobėme Kailą iš lovytės, spardėme jį kaip futbolo kamuolį ir kaip supjaustėme gabaliukais. Kaip išviliojome Ketę iš renginio, kėsindamiesi išžaginti, bet mums tepavykę ją taip sutalžyti, galvą sudaužyti akmenimis, kad jos smegenų fragmentų aptikta už trisdešimt penkių ir keturiasdešimties metrų nuo nužudymo vietos.

Prisiekusieji sekė įvykių eigą, jų burnos plėtėsi ir žandikauliai vėpėsi išgirdus, jog Kailas buvo suspardytas taip smarkiai, kad jo nugaroje net įsispaudęs *mano* sportbačio padas. Visi vienas paskui kitą jie suko žvilgsnius nuo Merfi į mane, jų veidus iškreipė siaubas ir pasišlykštėjimas. Susivokiau žvelgiąs į tuos pasipiktinimo kupinus veidus ir tarp jų.

Ji plačiu rankos mostu parodė į teisiamųjų suolą, į kiekvieną iš mudviejų, neatsigrįždama, palinkdama į prisiekusiuosius, tarsi ketindama pasidalyti su jais reta, nepaprasta paslaptimi.

– Ponios ir ponai, Danielius Andersonas ir Ričardas Paikas. Jūs girdėjote, kuo jie yra kaltinami ir – o tą nesunku buvo nuspėti – kaip abu išsisukinėja nuo savo kaltės. Taigi aš jus įspėju. Jūs išgirsite iš šiųdviejų jaunuolių dar daugiau paneigimų. Iš kiekvieno išgirsite, kad ne jis, o kitas kaltas dėl kraujo praliejimo ir kruvinų skerdynių, kurias jie surengė šių metų kovo mėnesį, kai išvažiavo neatsakingai kraugeriškai pašėlti dėl aklo sadistinio pasitenkinimo. Pasistenkite nespėlioti, kodėl tokie dalykai nutiko, sutelkite dėmesį į faktus. Pro melus įžvelkite tiesą, matykite, kas akivaizdu, – teismo ekspertizės įkalčius, liudytojų parodymus, vaizdajuostės atskleistus faktus. Kaltintojai, be jokios abejonės, įrodys, kad Danielius Andersonas ir Ričardas Paikas išvyko luošinti ir žudyti visų, kurie mažesni ir silpnesni, kurie per savo nelaimę pasipainiojo jiems po kojomis. *Žudyti dėl juoko!*

Ji nužvelgė mus, pirmą kartą atsigrįžusi tardama tuos tris paskutinius žodžius. Vėrė mus žvilgsniu, skatindama tą patį daryti ir prisiekusiuosius. Žengė porą žingsnių mūsų link, vis kartodama tą savo „dėl juoko!“, o paskui, žvelgdama į Vorloką, grįžo ant savo suolo, ryžtingai tarusi „ačiū“.

Vorlokas rašėsi ir, nė nepakėlęs galvos, pranešė:

– Ponas Saundersas.

Saundersas buvo populiarus, tik jo galva buvo didžiulė, po peruku pūpsojo fenu džiovinti plaukai. Vilkėjo nuostabų kostiumą, kuris tikriausiai kainavo daugiau nei geras, nedaug tevažinėtas automobilis. Jo balsas galingai sudrebino orą. Saundersas per visą savo gyvenimą nebuvo patyręs, ką reiškia suabejoti, iškart susigaudydavo, kur yra tiesa, viską žinojo. Nusišypsojo prisiekusiesiems, žvilgsniu paglostė jiems veidus, akimis susidūrė su visais dvylika, su kiekvienu iš eilės, ir iš vienų susilaukė šypsenos, iš kitų sušvelnėjimo. Prisiekusiesiems Saundersas patiko, nereikėjo jam nė burnos aušinti. O kai burną pravėrė, visi sužiuro į jį kaip maži vaikeliai į pasakotoją virtuozą. Jis pasakė:

– Patikėkite, Ričardas Paikas yra auka.

Nė nežinojau, ar juoktis, ar verkti, ar rėkti, nes visi instinktai, skatinantys daryti šiuos tris dalykus, užvirė bjauriu jauduliu ir ėmė dirginti gerklę.

– Danieliau! – Ričardas aiškiai ištarė mano vardą, bet mane apėmė keistas jausmas, kad aš jo balsą tik vaizduojuosi.

Dėmesį buvau sutelkęs į Saundersą ir neketinau suteikti jam malonumo atkreipdamas dėmesį į jį. Bet jis ir vėl pašnabždom pašaukė mane vardu, nejudindamas vos pravertų lūpų, ir patraukė mano žvilgsnį savo pusėn. Balsas sklido tarsi ne iš jo, tarsi padvelkė koks rūkas nuo kapinių. Ir man oda sudilgčiojo, jos poros žaibiškai atsivėrė, lyg paklususios slaptam paliepimui, atsklidusiam su jo balsu. Prakaito lašeliai nusirito man kaklu ir nugarkaulio „amerikietiškais kalneliais“.

– Danieliau, Danieliau, Danieliau!

Jo burna buvo kietai užčiaupta, akys įbestos į advokatą, o balsas aiškus kaip Saunderso, nors lūpos ir surakintos. Išsitraukė iš kišenės baltą nosinę ir padavė man:

– Tu prakaituoji!

Dabar jo žodžiai tarsi nukrito iš aukštybių, kaip neregimų užnuodytų strėlių kruša.

– Klausykis jo, – įsakė Ričardo balsas. – Klausykis, ką jisai sako apie tave.

Ričardas nė nežiūrėjo į mane. Man kūnu perbėgo virpuliukas. Jis kalbėjo tarsi tiesiog mano smegenims, siuntė mintis telepatiškai. Jo žodžiai atrodė tiesiog neapčiuopiami:

– Pasiklausyk, ką jis, ponas Saundersas, sako apie tave, žiūrėk, kaip prisiekusieji gaudyte gaudo jo žodžius! Tu man atleisk, Danieliau!

Saundersas atrodė tarsi mėgstamiausias prisiekusiųjų dėdulė, kai pasakė:

– Vaizdajuostės medžiaga aiškiai įrodys, kad už sunkų kūno sužalojimą yra atsakingas Andersonas, vien tik Andersonas...

Ričardas tyliai nusijuokė. Atsisukau. Jis pasižiūrėjo į mane, akimirkai atsisukęs veidu, ir labai paprastai paklausė:

– Ką?

– Nešdinkis nuo mano galvos! – sušnypščiau.

Policijos apsauginis mane nutildė. Paikas tiesiog šypsojosi ir žiūrėjo į šalį. Vorlokas susiraukė, lyg suabejojęs, ar tikrai išgirdo teismo salėje kažkokį tylų bruzdesį.

– Teismo ekspertizės medžiaga, – toliau dėstė Saundersas, – kruvinas zomšinis švarkas, virtuvinis peilis... Ši teismo ekspertizės medžiaga be jokių pagrįstų abejonių įrodys, kad vienintelis Kailo Volfo žudikas yra Danielius Andersonas...

Ričardas švilpavo ir švilpavo, o mus apsupę policininkai nė nekrustelėjo, nė nemirktelėjo, lyg nieko negirdėdami. Ričardas švilpavo žiūrėdamas į Saundersą, įspūdingai kylantį prisiekusiųjų akyse. Ričardo veidas buvo nejudrus, o švilpimas garsėjo, suskambo dviem tonais, tarsi dvi benamės katės būtų ėmusios suvedinėti sąskaitas prieš vidunakčio pjautynes. Atrodo, kad girdėjau aš vienintelis.

– Ričardas Paikas yra susijęs su šiais nusikaltimais tik todėl, kad jam labai nepasisekė ir jis netinkamai pasipainiojo. Tačiau aš įrodysiu, kad Danielius Andersonas yra kaltas dėl visų šių nusikaltimų, dėl kurių jam kelia kaltinimus šis teismas.

Ričardo galva truputėlį palinko, ir jis pasižiūrėjo į mane, Saundersui einant atgal prie savo suolo. Jis visai paprastai tarė:

– Atleisk man, Danieliau!

Džonsas atsistojo visu ūgiu, pasisuko į prisiekusiuosius, bet kai tik pravėrė burną kalbėti, ginti mane, Vorlokas paskelbė:

– Jau tuoj bus dvylika trisdešimt, pone Džonsai. Teismas nuo ryto jau gerokai padirbėjo. Padarysime pietų pertrauką ir vėl susirinksime keturioliktą valandą penkiolika minučių.

Visi atsistojo. Mano kaukolė nebebuvo kaip reikiant tvirta, kad atlaikytų užmaišytą smegenų jovalą. Sekdamas akimis išeinantį iš salės Vorloką, pajutau, kaip man veidą kausto ir iškreipia įniršis. Ričardas pasižiūrėjo – rimtai, tyliai – ir tarė:

– Nesijaudink. Suves keliai!..

Nieko neatsakiau, man jau buvo gana. Jau buvo gana širdgėlos, pykčio ir nevilties – nuo viso to mano smegenys buvo suslėgtos nebepataisomai. Prisiekusieji išžygiuodami nė nepajėgė į mane pažiūrėti.

– Dabar dainuoju naują dainą, giedu himną ateičiai, – sušnabždėjo Ričardas ir užtraukė: – „Suves keliai... Kažin kur... Kažin kaip... Bet žinau, suves ir vėl pilki keliai..."

– Ką?

Mes lipome suktaisiais laiptais į savo kameras. Jis buvo pasinėręs į giliamintišką tylą. Nė nemėgino brautis į mano užsispyrėlę galvą savo nežemiškais garsais.

Tesigirdėjo vien tik žingsniai ant akmeninių grindų, slopus jų aidas ir tyli tuštuma, kurioje jis nyko.

Kai jie nuvedė jį į vieną pusę, mane į kitą, jis pasuko galvą, šyptelėjo, ir jo akyse spindėjo tikros ašaros.

28

Nepatikėsi savo akimis nei ausimis

Atsisakiau valgio, negalėjau valgyti, nenorėjau. Atsisakiau sėdėti, negalėjau, nenorėjau. Man buvo pašokęs kraujospūdis ir tenorėjau grįžti tenai ir išgirsti sakant apie mane ką nors gero, išgirsti istoriją, kaip ją suprantu aš, tik tiek, o ne tupėti kameroje, mąstyti apie pietaujantį teismą, iš nežinia kur tebešaudant į galvą frazei „pirmasis įspūdis yra svarbiausias". Laukiau atsistojęs kameroje prie durų ir šūkčiojau, vos tik išgirsdavau ką nors einant pro šalį.

– Kiek dabar laiko?

– Dviem minutėmis daugiau, nei buvo, kai teiravaisi pastarąjį kartą.

„Suves keliai... Kažin kur... Kažin kaip..." Neapkenčiau šitos dainos, įsibrovusios į mano smegenis. „Bet žinau, suves ir vėl pilki keliai..." Ar aš vien tik išsigalvoju, kad jis ant teisiamųjų suolo buvo pasitelkęs telepatiją? O ar nedainuoja jis mano galvoje dabar? Jaučiausi nepaprastai sutrikęs. Kai išgirdau artinantis Džonsą su Ker, sušukau:

– Pone Džonsai, ponia Ker, aš čia!

Pamačiau, kaip jie stengiasi apraminti mano neviltį.

Ker įbedė žvilgsnį į nepaliestą padėklą su valgiu ir pasakė:

– Tu turi valgyti!

– Niekaip negaliu.

Džonsas parodė į suolelį, pritvirtintą prie sienos.

– Negaliu sėdėti! Manau, kad Paikas persiunčia savo balsą. Jis su manimi kalba, o sargybiniai jo tarsi negirdi.

– Danieliau, nusiramink, sėskis! – Džonsas pasisodino mane greta. – Teismas atidėtas iki rytdienos.

– Ką?!

– Vienas prisiekusysis nugriuvo. Regis, epilepsijos priepuolis!

– Jūs juokaujat!

– Ne, Danieliau, nejuokaujam. Tau teks grįžti į Tagarto rūmus ir palaukti, kol Vorlokas vėl mus visus sukvies!

– Epilepsijos priepuolis? Tikrai?

– Danieliau, apsivilk švarką, vešim tave atgal.

– Epilepsijos priepuolis? Tikrai?

* * *

Kai grįžau, buvo praėjusios trisdešimt šešios valandos nuo tada, kai pastarąjį kartą miegojau. Iki vakaro snūduriavau ant lovos. Troškau kristi į miegą kaip negyvas. Bet vos tik bent kiek aprimdavau, tuojau mane prižadindavo kalama į smegenis vinis, primindama: „Niekur nepasitrauk, nes čia dedasi kai kas labai negero!“

Kai Tomas atnešė vakarienę, aš sėdėjau, praradęs viltį užmigti. Kamera pakvipo maistu – sodria konservuotų vaisių saldybe, karštais, riebiais, ką tik skrudintais traškučiais ir aromatingais sūrio upeliais, nutekėjusiais po mikrobangėje keptais lakštiniais. Mano pilvas buvo tuščias, bet vis tiek apetito neturėjau.

– Atrodai išvargęs, – pasakė Tomas, dėdamas padėklą. – Pasistenk suvalgyti, kol karšta.

– Gerai, Tomai!

Išeidamas jis prie durų stabtelėjo.

– Kaip reikalai? – pagaliau paklausė. – Ar išdėstyti kaltinimo argumentai?

– Taip.

– Ir kaip atrodo?

– Tarsi aš esu bjaurus šunsnukis ir nesą ko dėl šito abejoti.

– Danai, nagi valgyk.

Man pasidarė graudu, tik nenorėjau praskysti, todėl ėmiausi valgio. Jei valgysiu, tai mąstysiu apie ką nors kita, ne apie savo išgyventą šlykščią dieną, ir veido, žandikaulio bei gerklės raumenimis sutramdysiu ašaras.

– Ar nori, kad su tavim pasėdėčiau?

Nenorėjau. Tetroškau, kad duotų man ramybę, tačiau juk jau dešimtis kartų jis, pasiutiškai neturėdamas laiko, viską mesdavo ir sėsdavo su manim pasikalbėti, kai tik būdavau nusiteikęs. Kartais, pabaigęs savo pamainą, prasėdėdavo ištisas valandas, kalbėdavo su manimi, klausydavosi.

– O, ačiū, Tomai, būtų gerai. Ar nori pasižiūrėti žinias?

– Maniau, kad tu tai žinių nežiūri!

Aš ir nežiūrėdavau, visiškai, tiesiog sąmoningai, nes nežinia, kada ką praneš, nes čia kaip koks persūdytas siaubo spektaklis. O Tomas buvo žinių entuziastas.

– Gal priprasiu.

Pasilenkiau ir mygtuko spustelėjimu užbaigiau diskusijas. Rodė BBC šeštos valandos naujienas. Pasisukau į savo lakštinius ir perrėžiau peiliu. Žinios mano ausyse skambėjo vien tik kaip triukšmas ir žaižaravo spalvomis akies kamputyje.

– Danai! – Tomo balsas perskrodė garsinės ir vaizdinės nejautros uždangą: – Danai, dirstelėk į televizorių!

– Helovynas, – pasakiau atsisukdamas pažiūrėti.

Viršutiniame dešiniame kampe laikėsi užrašas „Tiesiogiai", kalbančio į kamerą reporterio fone buvo matyti autostrados kamščio vaizdai.

Tamsa, chaosas, triukšmas ir tempiami sudužę automobiliai. Atvažiuoja ir išvažiuoja greitosios, policija ir ugniagesiai padeda gydytojams.

Reporteris žiūrėjo man į akis ir ramiai dėstė: „Susidūrė per keturiasdešimt transporto priemonių, važiavusių Londono link, ir mažiausiai penkiolika kelyje į Oksfordą. Masinė avarija kilo, neatkreipus dėmesio į tai, kas vyksta priešingoje eismo juostoje. Pragariškas reginys!

Nebenorėjau daugiau žiūrėti, niekas man nerūpėjo. Bet staiga sukaustė šaltis, tiesiog suledėjau. Televizija parodė kapines – iš sudarkyto metalo, žibančio įžambiai krintančiame lietuje, ir aukštai spindinčias autostrados lempas.

Daug greitosios pagalbos ekipažų ir ugniagesių automobilių iš Esekso ir Londono atvyko padėti išlikusiems gyviems...

– Čia jis, – pasakiau tyliai.

– Kas, Danai? – paklausė Tomas, neatitraukdamas akių nuo ekrano.

– Čia jis.

Reporteris judino lūpas, bet nieko negirdėjau, nes galvoje teskambėjo pamišėliška karuselės muzika.

Akimirką buvau nublokštas vėl į tą poliekraninį kiną netoli nuo vadinamųjų namų ir žiūrėjau į didžiulį ekraną, kuriame pats stovėjau ištuštėjusioje atrakcionų aikštėje, stebėdamas sumirgėjusią švieselėmis ir atgijusią karuselę, tuščią besisukančią nakties nykumoje. Sukosi ji palengva. Ant pirmojo žirgelio sėdėjo Ričardas Paikas, šypsodamasis ir modamas man, slinkdamas pro mane, šaukdamas: „Čia tu, Danieliau!", o paskui jį važiavo Parkinsonas, užvirtęs ant savo žirgelio galvos, ir Kailas, karantis nuo moteriško balno, ir Ketė, vilkinti medžiokliniu švarku ir perskelta galva, ir visi mirusieji ir mirštantieji iš autostrados, visi raiti, žirgelis po žirgelio, žirgelis po žirgelio. Staiga ta akimirka baigėsi, kruvini reginiai dingo iš mano galvos.

– Čia jis! – atkartojo televizorius, ir kažkoks balsas paklausė: – O ką pasakysit apie gandus, kad dėl katastrofos kaltas policijos apsaugos mikroautobusas?

– Deividai, liudytojai tvirtina, kad pirmasis susidūrė policijos apsaugos mikroautobusas. Aš pats mačiau jį sudaužytą. Pranešama, kad pabėgo gabenamas iš teismo į kalėjimą suimtasis kardomajam kalinimui. Kalbama, kad tai Ričardas Paikas – vadinamasis Nematomas žmogus. Bet pareigūnai šito nepatvirtina.

– Čia jis. Čia tikrai jis! Helovynas, – pasakiau Tomui. – Naktis, kai visos piktosios dvasios vaikšto žeme!

29

Tenai, nuostabiajame pasaulyje

Patvirtinta, kad per masinį automobilių susidūrimą ketvirtadienio vakarą M40 greitkelyje iš policijos apsaugos mikroautobuso pabėgo Ričardas Paikas.

Dabar jau žiūrėdavau visas televizijos žinias, o tarp jų įsijungdavau ir radiją.

Paikas buvo vežamas atgal į kalėjimą po jo bylos nagrinėjimo pirmosios dienos Oksfordo karališkajame teisme. Automobilis, kuriuo jis buvo vežamas, apvirto per masinį susidūrimą.

Ekrane pasirodė jo veidas, asmens nuotrauka, policijos daryta mūsų suėmimo dieną. Akys tuščios, veidas akmeninis, bet kažkur giliai slypėjo šypsena.

Policija įspėja visuomenę šio žmogaus pasisaugoti, nes jis labai pavojingas.

Kai pagalvojau apie jį, atsirandantį tarp žmonių, šiurpas perbėgo kaukole ir galutinai suvokiau, kad jau tikrai taip ir įvyko.

„Suves keliai... Kažin kur... Kažin kaip..." Tiesiog skambėjo ausyse jo balsas, tarsi būtų dainavęs sėdėdamas greta manęs kambaryje. Pagarsinau televizorių, ir jo balsas išnyko. „Bet žinau, suves ir vėl..." Jis kalbėjo su manimi per dainą. Vis nubusdavau naktį, galvoje suskambus šiai dainai, ir manydavau, kad vien tik vaizduojuosi ją, kad girdžiu tik radijo trukdžius, ir grumdavausi su ta melodija, kaip vėjas grumiasi su medžių šakomis. Man nepaliaujamai skaudėjo galvą.

Tomas davė man paskaityti savo laikraščius – „Deili miror" ir „Gardijan" – ir tai buvo gerai, nes galėjau sklaidyti juos po vidunakčio, kai televizija tylėdavo. Aš baimingai laukiau jo, siaubingo jo rankos prisilietimo, gresiančio iš laikraščio popieriaus, ir nujaučiau, kad gana greitai su juo susidursiu.

* * *

Praėjus keturioms dienoms po jo pabėgimo, pirmadienio rytą, tuoj po pusės devintos, teismą paliko teisėjas Vorlokas. Prisiekusieji – nors kai kurie visiškai nusivylė, vis dėlto dauguma akivaizdžiai pajuto palengvėjimą – buvo paleisti ir grįžo prie įprastinių savo darbų.

Vorlokas atrodė piktas, tikrai labai piktas, kai man pasakė:

– Tu paliekamas vietos valdžios priežiūrai, kol bus įmanoma paskirti kitą teismo datą ir sutvarkyti šitą katastrofą.

Jis iškėlė priešais mane pirštą, bedė aukštyn, lyg taikydamasis išdurti man akį.

– Palikdamas šią teismo salę, nesitikėk, kad tavo bendrininko pabėgimas tau kuo nors pagelbės. Ne. Tave ilgiau globos vietos valdžia, ir tiek.

Jis vis labiau niršo žvelgdamas į tuštumą greta manęs ant teisiamųjų suolo.

Stengiausi nesišypsoti ir žiūrėjau į salę, kur tėtis sėdėjo apkabinęs mamą. Ji pamojo man, vedamam atgal į kamerą.

– Nesitikėjau, kad jis galės šitaip išsisukti nuo teismo, – pasakiau.

– Ką nori, tą daro, – atsiliepė Ker.

– Kaip pasisekė! – Džonsas vos ne uždainavo. – Ričardas tau padarė pačią didžiausią paslaugą, kokią tik galėjo padaryti.

Gėrėme iš polistireno puodukų kavą – artimiausią šampanui gėrimą, kokį galėjome rasti grafystės teismo rūsyje.

– Tai kaip dabar bus? – pasidomėjau.

– Palauksim ir pamatysim, ar jį sugaus, – pasakė Ker, krapštydama nuo puodelio krašto tirščius.

– Ar sugaus? Ką reiškia „ar sugaus"? – sutrikau.

– Ar žinai, kiek per pastaruosius penkerius metus yra pabėgę sunkių nusikaltėlių, na, įskaitant žagintojus ir žmogžudžius?

– Neįsivaizduoju.

– Du tūkstančiai. Ir šimtas iš jų vis dar slapstosi. Jeigu nesugauna pirmą mėnesį, tai šansai likti laisvėje jau būna nemaži. Policija beveik ir nuleidžia rankas...

– Kodėl?

– Nes reikia tirti naujas bylas, – paaiškino Džonsas, – ir gaudyti naujus nusikaltėlius. Neužtenka laiko, pinigų nei žmonių. Tiek, kiek pareigūnams priklauso, jie jau būna padarę.

– Betgi koks siaubas, – nusistebėjau.

Ker pakilo ir atsitiesė.

– Būk optimistas, Danai. Vorlokas nušnekėjo nei penki nei devyni. Paikas padėjo tau neapsakomai. Jei bent krislelį buvo vertas pasitikėjimo, tai viską nuskandino unitaze ir visiems apsuko smegenis į kitą pusę.

Mane, lyg penkiametį vaikelį, apėmė tarsi Kalėdų ryto jaudulys. Gal mano likimas ir keičiasi. O juk vis dėlto taip.

* * *

Naujienos mane pasiekė tuoj po pietų, vienintele pastraipa iš septinto puslapio apačios, iš vakarykščio „Sandei miror" numerio.

Orpingtono Švč. Marijos ligoninėje, Kento grafystėje, intensyvios terapijos skyriuje atsigauna trisdešimt dvejų metų amžiaus moteriškė, žiauriai užpulta jos pačios namuose per Helovyną. Policija laiko įvykį pasikėsinimu nužudyti.

Čia buvo jis. Neturėjau logiško pagrindo būti tikras, bet turėjau kuo tvirčiausią nuojautą ir neabejojau, kad šis darbelis yra jo.

Skaičiau vis iš naujo, kol jau galėjau užsimerkęs regėti žodžius kaip negatyve, baltas raides, atspausdintas tamsiai pilkame vaizduotės fone. Tie žodžiai liete liejosi iš mano širdies pro lūpas tarsi liūdna malda. Tie žodžiai vis žybčiojo smegenyse lyg įžiebiama fluorescencinė lempa. Akys nuo jų darėsi žvairos, jie skriejo apie visą kaukolę kaip kokiu užburtu ratu. Sėdėjau ant grindų ir monotoniškai kartojau juos į savo kumščius.

Paskui kai kas mane nutildė. Mano akys atsimerkė, burna užsičiaupė, staiga kilus kvapą užimančiai šviesiai minčiai. Jeigu jis būtų norėjęs moteriškę nužudyti, tai nė kiek neabejotina, kad ji jau nebebūtų gyva.

Ir ėmiau galvoti, jei tikrai nenorėjo nužudyti, tai kodėl tada užpuolė? Ir ėmiau spėlioti, jei nenorėjo nužudyti, tai ko norėjo? Kas ten atsitiko?

Per televiziją Antrojo pasaulinio karo veteranai ruošėsi Atminimo sekmadieniui. Pilnas senukų autobusas, su gražiausiais kostiumais, visi medaliuoti ir ordinuoti, su savo pulkų beretėmis. Jie visi dainavo: „Suves keliai... Kažin kur... Kažin kaip... Bet žinau, suves ir vėl pilki keliai..."

30

DNR

Primygtinai reikalavau pasimatymo su Parker ir Veitsu, nes turėjau žinių apie Paiką. Ir nustebau, kai Veitsas staiga pasirodė su kitu detektyvu, kurio dar visai nebuvau matęs. Jam bededant į diktofoną juostelę, Ker parodė į jį ir paklausė Veitso:

– Kas čia toks?

– Apygardos komisaras Strečas, – paaiškino Veitsas.

Jo nuotaika buvo tokia bjauri, kad pasiutę šunys būtų sprukę šalin pabrukę uodegas.

Veitsas mūvėjo languotas golfo kelnes, avėjo mėlynus mokasinus ir vilkėjo rausvą megztinį su gilia smailia iškirpte. Ir, kaip pastebėjau, kad ir koks buvo niūrus, atrodė komiškai.

– O kurgi ji?

– Austrijoj, – atsakė Veitsas. – Ji nušalinta, kai Vorlokas paliko teismą. Išvažiavo slidinėti.

– O jūs? Ar nenorėjote pasitraukti nuo viso šito?

– Mane iškvietė su tavim pasimatyti, kai jau važiavau žaisti golfo. Pasitaikė proga pažaisti po keturių mėnesių pertraukos.

– Keturi mėnesiai be golfo?! – nusistebėjau. – Tikiuosi, padarysite išvadą, kad žaidimas jums sugriuvo ne tuščiai.

– Tikiuosi, kad taip, Danieliau!

Pirmą kartą pamačiau jį tikrai emocingą – piktą. Mirtis nepadarė jam didelio įspūdžio, o golfo žlugimas pataikė į skaudžiausią vietą ir sukėlė tikrą įniršį. Aš sudirbau jam dieną, tad kai žiemos saulės spinduliai įsiveržė pro langą, truputį paaitrinau žaizdą:

– Dienelė tai graži.

Veitsas spustelėjo įrašinėjimo mygtukus ir, atlikdamas formalumus pradėti apklausai, sušvelnino toną.

– Danieliau, tu susisiekei su mumis ir pranešei, kad turi žinių apie kitą sunkų nusikaltimą, kurį padaręs Ričardas Paikas.

– Taip, tiesa.

– Taigi ką tu mums nori pranešti?

Padaviau jam „Sandei miror“, atvertęs septintą puslapį, kur mėlynu tušinuku buvau apvedęs nedidelį straipsnelį.

– Paskaitykit.

Jis perskaitė garsiai, ramiu balsu, tarsi robotas. Grąžino man laikraštį abejinga, kaip ir balsas, veido išraiška.

– Na, ir ką tu nori pasakyti, Danieliau?

– Ogi noriu pasakyti, kad tas užpuolimas, apie kurį ką tik perskaitėt, yra Paiko darbas.

– Iš kur žinai?

– Žinau, ir tiek.

– Spalio trisdešimt pirmosios naktį tu buvai čia uždarytas, tiesa?

– Tiesa.

– Tai iš kur gali žinoti, kad užpuolė jis? Ar su juo kalbėjai?

– Ne. Kaip aš kalbėsiu?!

– O gal jis tau pranešė?

– Ne. Kaipgi praneš?

– Tai ką tu čia šneki?!

– Perskaičiau šitą ir instinktyviai pajutau. Čia jis. Žinau, kad jis. Žinau, kad čia jo darbas.

– Ar jis tau sakė, kad jei pabėgs, tai važiuos į Kentą užpulti moters?

– Ne.

– Tai ką tu čia kalbi? Ar žinojai, kad jis ketina pabėgti?

– Ne, nė nenumaniau. Iš kur galėjau žinoti?!

– Betgi tu žinai, kad jis įvykdė šitą nusikaltimą...

– Taip.

– Iš kur?

– Aš jau pasakiau. Instinktyviai jaučiu.

– Ar nori dar ką nors pasakyti, Danieliau?

– Taip.

– Tai sakyk.

– Kaip nukentėjusioji? – man reikėjo žinoti. – Kaip laikosi ta dama, kurią jis užpuolė?

– Ji... puikiai taisosi. Jau iškelta iš intensyvios terapijos skyriaus.

– Ar ją jau apklausė?

– Dar ne. Bet apklaus, kai tik bus galima. – Veitsas iš saulės lauke mėgino spėti, kiek valandų. – Ar dar ką pasakysi, Danieliau?

– Pasakiau viską, ką turėjau pasakyti!

Strečui dedantis magnetofoną, Veitsas lūkuriavo prie durų, akivaizdžiai dvejodamas. Jo veidas darėsi niūrus, smegenų užkaboriuose staiga ėmus tratėti būgneliams.

– Sudie! – sušukau, kai juodu su Streču išėjo iš kambario.

Veitsas apsidairė ir nežymiai kilstelėjo ranką.

– Tai ar jūs pranešite, ar niekam nesakysite? – paklausiau.

– Klausyk, aš žinau, kad negalėjai su juo susisiekti, ir žinau, kad jis negalėjo tau pranešti, Danieliau. Ir tu niekaip negali būti susijęs su pabėgimu. Taigi logiška, kad tas neturi prasmės.

Tyliai laukiau.

– Danieliau... Jei neoficialiai. Gal tu ekstrasensas ar kas?

– Kodėl to klausiat?

– Netrukus visi žinos.

– Ką visi žinos?

– Kento policija turi kaltės įrodymų iš nusikaltimo vietos. Moteriškė gynėsi ir jam įpjovė. Ją užpuolė *Paikas*. Jo kraujo pilni namai ir DNR neabejotinai jo. Nusiųsiu Kento pareigūnams įrašą. Neabejoju, kad jie norės su tavim pasikalbėti. Jie greit atsilieps.

Kažkas danguje nutiko, nes debesys staiga prasiskyrė ir saulės spinduliai aštriais, akinamai spindinčiais peiliais susmigo į kamerą. Bet taip pat staiga ir išnyko.

– Ar jo pėdsakai neužeiti? – paklausiau. – Jo nė ženklo?

Mano širdis daužyte daužėsi, bet kalbėjau lėtai ir tyliai.

Veitsas nusijuokė ir papurtė galvą.

– O kaip tau atrodo?

31

Lapkričio penktoji

Kai ant laužo buvo tradiciškai užmesta legendinio sąmokslininko Gajaus Fokso iškamša, liepsnos liežuviai pašoko į nakties dangų, lydimi pritarimo šūksnių. Šiaudinė kaliausė užsiliepsnojo ir pražuvo kaitriuose laužo viduriuose. Tomas man sakė, kad Fokso iškamšą mūsų prieglaudai parūpino greta gyvenantis ūkininkas.

Stovėjau prie lango, žiūrėjau į fejerverkus ir pavydėjau žmonėms lauke nakties ledinės rankos prisilietimo ir laužo šilumos. Vaizdavausi fejerverko spalvas atsispindint mano odoje ir kvepiant bedūmiu paraku. Tarsi jutau medžio anglių prieskonį, lyg valgydamas ką tik iškepusią ant laužo skerdieną.

Nuėjau nuo lango ir kniūbsčias atsiguliau ant lovos. Mintimis sugrįžau prie to paties seno klausimo, kuris nedavė man ramybės jau dvidešimt keturias valandas. Kodėl jis jos nepribaigė? Kodėl jis paliko ją gyvą?

Pabėgimas išgaravo iš laikraščių ir iš televizijos žinių, bet kasdien buvo pranešinėjama apie vis naujus žiaurius nusikaltimus. Ta pati nuojauta, kuri man sakė, kad moterį Orpingtone užpuolė jis, dabar šnabždėjo, kad jis daugiau nebepuola. Ir kiekviena nauja diena, kai jis nebuvo sugaunamas, didino jo šansus likti laisvėje. Nuo šios minties atsisėsdavau, išlipdavau iš lovos ir įsižiūrėdavau į šešėlius kameros kampuose.

Mintyse buvau susikūręs jo paveikslą – jisai, stovintis kažkur tamsoje, akimirką nutvieskiamas žibintų šviesos, besišypsantis, paskui vėl susilieja su tamsa.

Įsijungiau televizorių nubaidyti prisėlinusiai vienatvei ir ėmiau žiūrėti kaip tik prasidedančias BBC dešimtos valandos žinias. Nieko apie jį naujienų santraukoje, taigi jis ir toliau laisvėje. Staiga mano galvos oda atitirpo, jos nervai suvirpėjo ir... aiktelėjau, kažkam staiga triukšmingai pabeldus į mano kambario duris.

– Ar galiu užeiti? – paklausė Tomas. – Vilkis švarką, tavęs paimti atsiuntė mašiną.

– Kas atsiuntė mašiną?

Duryse pasirodė Strečas ir uniformuotas pareigūnas, žvangindamas antrankiais.

– Kas čia dabar? – nustebau.

– Tu reikalingas nuovadoj, – pasakė Strečas. – Gal malonėtum kuo greičiau apsivilkti švarką, mūsų laukia mašina.

* * *

Kol ten važiavom, nieko iš jų neišpešiau. Nuo kiekvieno „ne, nežinau“ ir „negaliu pasakyti“ lauko tamsa dar labiau slėgė salono tylą. Varė man baimę, nesaugumo jausmą, neviltį.

– Būkit malonūs, ar negalėtumėt bent pasakyti, ar turėsiu dar kokių nemalonumų?

– Nežinau! – nusižiovavo Strečas.

– Ar mane vežat į Kentą?

– Nežinau.

Kai įvažiavome į stovėjimo aikštelę už nuovados pastato, jau buvau tikras, kad būsiu vanojamas dėl kiekvienos neatskleistos žmogžudystės, įvykusios iki mano vienuoliktojo gimtadienio. O kai išlipome ir tuoj pat įėjome vidun, man baimę išstūmė juodas kaip aulas susitaikymas. Neteisingumas? Jau laikas pratintis.

Kai atvažiavome, nepatikėjau savo akimis. Sumirksėjau ir nustėrau lyg atsidūręs siurrealistiniame sapne. Ker stovėjo prie prekybinio automato, gėrė kavą ir su Veitsu juokėsi.

Strečas nusegė man antrankius ir tarė:

– Palauk čia!

Jis nuėjo toliau ir dingo už virtinės dvivėrių spyruoklinių durų.

– Danai!

Ji šypsojosi, norėjo kažką sakyti, bet aš nekantraudamas pripuoliau klausti:

– Kam čia manęs reikia?

Ji pažvelgė į Veitsą, besitaisantį kaklaraištį, o paskui besisegiojantį švarko sagas.

– Čia toks nemenkas įvykis, – pasakė Veitsas. – Štai kodėl tu čia.

– Koks dar įvykis?

Strečas grįžo rodydamas ryšulį raktų ir sušuko:

– Antras kambarys laisvas!

Veitsas suėmė mane už rankos ir paragino:

– Einam! Ko tau neapsiraminus su klausinėjimais ir nepatikėjus man rūpintis viskuo, ką aš, tavo nuomone, sugebu?

Įsirėmiau visu svoriu kulnais į grindis ir nė žingsnio nebenorėjau žengti toliau.

– Danai, – sušnabždėjo Ker. – Šįkart naujienos geros. Einam!

* * *

– Naudodamasis magnetofonu, aš duodu Danieliui išklausyti garso įrašo kopiją. Čia įrašytas vyriausiojo kriminalinės policijos inspektoriaus Fortunos iš Kento policijos pokalbis su ponia Džoana Marsden, pasikėsinimo nužudyti auka... Dabar įdedu kasetę į antrą magnetofoną ant stalo tarp mūsų.

Jis paleido įrašą:

– Pasiklausyk!

Žiūrėjau į besisukančias kasetės riteles ir laukiau, kada baigsis juostos pradžios tyla. Apklausos kambaryje suskambo iš magnetofone įmontuoto garsiakalbio išsiveržęs moters balsas.

– Džoana, ar jaučiatės pakankamai gerai ir galite kalbėti?

Labai negreitai trūkčiojamu silpnu balsu ji atsakė:

– Taip.

– Ar jūsų savijauta leidžia aptarti, kas įvyko praėjusį ketvirtadienį?

– Taip.

– Taigi neskubėsime, Džoana?

– Ar galima atsigerti vandens?

Ji buvo silpna, vos prakalbanti, sužalota, jos balsas įtemptas iš skausmo ir nepamirštamo sukrėtimo. Visa mano esybė buvo prikaustyta prie magnetofono ir sklindančių iš jo balsų. Veitsas truputėlį pagarsino ir išgirdau, kaip moteriškė siurbčioja iš stiklinės, kaip kosėja, kaip pastato stiklinę ant medinio paviršiaus.

– Aną ketvirtadienį, per Helovyną... – lėtai ištarė ji.

Man vaizduotėje sušmėžavo jos paveikslas, kaip ji sėdi paramstyta ligoninės lovoje, visa sudaužyta, su prijungta lašine.

– Buvau savo namo virtuvėj... kokią septintą vakaro... Dariau salotas...

– Jūs gyvenate viena?

– Taip. Buvau nuėjusi prie lauko durų jau du kartus, nes apsilankė vaikų – papokštauti ir gauti vaišių. Ir vėl išgirdau skambinant ir pagalvojau, kad nebeisiu. Bet skambėjo ištisai, tai nuėjau prie durų ir sušukau:

– Šalin pirštą nuo skambučio!

Bet skambutis netilo. Atidariau, tik nieko ten nebuvo. Išėjau laukan. Skambučio mygtukas buvo užklijuotas pleistru, tai aš atklijavau. Apsidairiau. Nieko. Tada... pro šalį važiavo automobilis ir vieną akimirką pamačiau jį stovintį ant tako, nutviekstą automobilio žibintų šviesos.

Ji nutilo ir pravirko.

– Jis lyg skriste atskrido prie manęs, tiesiog skriste, tiesiog ant manęs, įgrūdo mane į prieškambarį, man nespėjus nė šūktelėti. Viskas taip staiga... Rankoje tebelaikiau salotų peilį. Jisai spyriu uždarė lauko duris ir koja primynė man gerklę. Gulėjau ant grindų, tai dūriau jam į koją peiliu, ir jis... ėmė juoktis. Nukėlė nuo gerklės koją. Aš nubėgau į virtuvę, ketindama sprukti pro užpakalines duris, bet jis pasivijo, beprotiškai juokdamasis! Čiupo mane prie virtuvės durų, tai aš dūriau jam peiliu. Jis sučiupo pirštais geležtę ir ištraukė peilį man iš rankų. Jis man šypsojosi...

Ji nutilo, vėl atsigėrė.

– Jam iš kumščio varvėjo kraujas. Trenkė man į veidą. Smarkiai. Du ar tris kartus. Nusviedė šalin peilį ir pasičiupo pašluostę, apsivyniojo įpjautą ranką. Koja irgi buvo kruvina. Aš tiesiog nuvirtau ant grindų. Jis pasakė: „Kelkis, Džoana!..“ – ir pagalvojau: „Ar aš jį pažįstu?“ Tada jį prisiminiau, iš nuotraukų laikraščiuose, tą Nematomą žmogų. Pakėlė jis mane už pažastų, o aš ėmiau kratytis ir šaukti. Jis daužė mano galvą į virtuvės duris, penki, šeši, septyni, garsiai skaičiavo su kiekvienu trenkimu, ir atrodė, kad jam tarsi viskas pasiutiškai nusibodę. Tarsi dirbtų kasdienį darbą. „Aštuoni, devyni.“ Praradau sąmonę.

– Atitokau prie savo valgomojo stalo. Pririšta prie kėdės, sėdomis...

Mintyse išvydau paveikslą: moteriškė sėdi prie stalo, pririšta prie kėdės. Girdėdamas dėstomas įvykio smulkmenas, pajutau kambarį aplinkui mane ištirpstant ir persikėliau į jos namus pasižiūrėti, kas gi atsitiko per Helovyną.

– Ant stalo stovėjo žvakės, skambėjo romantiška muzika iš kompaktų grotuvo. Jis sėdėjo priešais. Visai atitokusi pamačiau pro žvakių šviesą jį besišypsant. Galva man plyšte plyšo iš skausmo, burnoje jutau kraujo skonį. Jis pakėlė taurę vyno ir pasakė: „Į mūsų sveikatą!“ Aš atsakiau: „Paleisk, būk malonus, paleisk!“ Jis nusijuokė ir pasakė: „Nejuokink!“

„Nejuokink“... Jo balsas aidėjo man galvoje... „Nejuokink“... Regėjau jį, girdėjau jį tariantį šiuos žodžius.

– Jis priėjo ir atsisėdo greta manęs...

Užsimerkiau. Galvoje kaip gyva iškilo toji scena, kurią ji papasakojo garsajuostei. Mano vaizduotė iš jos žodžių sukūrė ryškų paveikslą.

Džoana pasakojo toliau:

– Jis atsistojo. Atsistojo prie stalo ir priėjo prie manęs. Man buvo baisu, aš verkiau, kai sėdosi greta. Mano rankos buvo surištos už kėdės atkaltės. Jis nušluostė man ašaras, ir aš pasakiau: „Nedaryk man nieko blogo!“

Ji nutilo. Tai truko tarsi amžinybę.

– „Suprantu, neįmanoma valgyti, kai rankos surištos už nugaros, Džoana, tai aš tave pamaitinsiu.“ Štai taip jis man pasakė. Jis pabaigė maišyti salotas. Lėkštėje prie pomidorų, agurko ir svogūnų laiškų gulėjo vištienos šlaunelė. Jis agurko griežinėlį perpjovė pusiau ir prikišo su šakute man prie burnos sakydamas: „Plačiai išsižiok, Džoana!“ Čia buvo kaip betoną kramtyti, bet aš bandžiau valgyti, nes, pamaniau, jei darysiu, ką lieps, tai manęs nežudys. Bet neįstengiau nuryti, tiesiog neįstengiau nuryti. Staiga man maistas sustojo ir išvėmiau. Jis pridėjo man prie burnos stiklinę su mineraliniu ir paragino gerti. Gurkštelėjau. Pasiėmė iš lėkštės šlaunelę ir ėmė pats valgyti, plėšdamas dantimis nuo kaulo, laižydamas rausvą kauliuką ir kalbėdamas: „Gardu, Džoana, oi, kaip gardu!“ Pasiūlė man likusį šlaunelės šoną, bet aš smarkiai susičiaupiau ir susigūžiau. „Na, ko tu šitaip, Džoana?!“ – šnabždėjo jis man kaip koks draugužis, su kuriuo būtume glaistę nedidelį kivirčą. „Paleisk!“ – maldavau. O jis tik papurtė galvą ir pasižiūrėjo man į akis: „Štai ką aš tau pasakysiu. Šiąnakt mirsi, čia tavo paskutinė vakarienė“. Pasakė taip, tarsi būtų daręs man kokią malonę. Prapliupau verkti... nebesivaldžiau... ėmiau sūpuoti kėdę, tampyti virvės mazgus ant kojų ir rankų. Jisai sėdėjo tylus kaip vandens prisisėmęs, išgėrė dar vyno, pabaigė šlaunelę. O tada... Aš tiesiog nurimau ir sėdėjau ramiai, kūkčiojau ir gaudžiau orą. Jis atsiduso, išpūtė žandus ir su šlaunelės kaulu kilstelėjo mano smakrą, versdamas žiūrėti jam į akis. „Šiąnakt mirsi, bet pirma noriu tau kai ką pasakyti!" Suėmė rankomis mano galvą, kruvina jo plaštaka buvo apvyniota popieriniais rankšluosčiais. „Ar girdi? Aš buvau bjaurus vyrukas, Džoana. Nužudžiau mažametį, nužudžiau merginą ir... Padariau taip, kad atrodytų, lyg kaltas kai kas kitas." Prisipylė pilną stiklą vyno ir vienu gurkšniu ištuštino. „Tas Danielius... Paėmiau jo švarką ir jo peilį ir sukapojau tą berniukėlį, nes... man norėjosi jį nužudyti. Nenorėjau, kad mane pričiuptų, tai padariau, kad atrodytų, lyg nužudė Danielius. Tada jis miegojo viešbučio numery. Paėmiau net ir jo sportbačius, kad ant vaikelio nugaros liktų atspaudas. Argi ne gudriai padariau? Paskui ir vėl nužudžiau. Merginą. Danieliaus ten nė kvapo nebuvo, bet aš pasistengiau, kad jis išsiteptų krauju. Pasakiau policijai, kad sugalvojo jis. Panorau pasidalyti su juo savo nusikaltimais. Žinojau, kad jis niekaip neprisidės prie žudynių, tai kitaip jo įtraukti ir negalėjau, kad taptų bendrininku, kad mudu abudu būtume iš to paties molio per amžių amžius. Ir, Džoana, aš noriu, kad mano paslaptį nusineštumei į kapus." Atgalia ranka trenkė man per veidą. Aš dusau, bet vargais negalais ištariau: „Kodėl?" – „Kas kodėl, Džoana? Kodėl aš šitaip su Danielium? Kodėl taip su tavim? Nes... tu mano auka, o aš tavo šeimininkas, ir jis mano auka, o aš jo šeimininkas, ir kai kurios aukos turi mirti, o kai kurios turi gyventi, bet visos jūs gaunate tą patį, jūs pasidalijate su manim skausmą, mano skausmą. Supranti? Gaunate iš manęs dovaną, dalijuosi su jumis – su Danielium, su Kailu, su... neprisimenu jos vardo. Vargšas Danielius. Turėjau kam nors pasakyti apie Danielių. Teko tau. Ar supranti, kokia tau privilegija? Atsakyk į klausimą. Ar supranti, kokia tau teko privilegija išgirsti mano paslaptį?" – „Taip. Paleisk mane! Niekam aš tavo paslapties neišduosiu, nereikia manęs žudyti". – „Tu nesiklausai, Džoana. Susitaikyk. Šiąnakt turėsi mirti!" – „Maldauju..." – meldžiau ir meldžiau jo pasigailėti... O jis sako: „Džoana, tu daraisi tikra nuoboda!" Įsikišo ranką į kišenę ir išsitraukė akmenį sulig geru kumščiu. Iškėlė man virš galvos... Aš tespėjau pamatyti besileidžiantį man į galvą gniaužiamą delne akmenį...

Apklausos kambarys prisipildė jos verksmo, iš garsajuostės liejosi sielvartas. Negalėjau atplėšti akių nuo kasetės ričių, vis besisukančių ir besisukančių, kol pagaliau Veitsas jas sustabdė. Kambaryje įsiviešpatavo tyla. Tokia sodri tyla, kad tiesiog liete liejosi į plaučius. Tebežiūrėjau į kasetę, nes nė nebežinojau, kur dar žiūrėti. Ponia Ker uždėjo man ant peties ranką ir atkišo sulamdytą popierinę nosinaitę. Nusišluosčiau ašarotas akis, veidą ir atsisėdau tiesiai.

– Kento policininkai spėjo ten laiku. Ji būtų nebegyva, jei jie būtų pasirodę bent truputį vėliau, – paaiškino Veitsas, džiaugdamasis svetima šlove.

– Taip manote? – atkirtau jam.

Jis susiraukė, nepatenkintas mano atšiaurumu.

– Iš kur policija sužinojo, kad reikia važiuoti pas tą moteriškę?

– Iš konfidencialaus pranešimo telefonu. Paskambino kai ką įtariantis kaimynas.

Jam kalbant pamačiau, kad Veitsui kažkas staiga nušvito.

– Paskambino Ričardas, – pasakiau.

– Ar supranti, ką tas reiškia? – Veitsas pasižiūrėjo į mane.

Žinojau, bet tylėjau kaip užrištas, ir nė krust.

– Tu nebeturi nemalonumų, Danai!

Ponia Ker paaiškino:

– Dėl tokio prisipažinimo šitokiomis aplinkybėmis jis pats yra pasmerktas. Jis patvirtino viską, ką tu sakei. Visiškai viską.

– Šį vakarą tu išvažiuoti negalėsi. Turim sutvarkyti kai kuriuos formalumus, – paaiškino Veitsas.

– Tačiau, Danai, – plačiai nusišypsojo Ker, – kaip nuostabu. Tu laisvas!

Pasilenkiau prie jos ir pabučiavau į skruostą. Ji apsivijo mane rankomis, ir mano lūpos užtruko prie jos ausies:

– Bet juk vien dėl to, kad jis šitaip nori, ponia Ker, – sušnabždėjau. – Vien dėl to, kad jis šitaip nori.

32

Epilogas – po dviejų mėnesių

Jis buvo nežinia kur. Bet galėjau lažintis iš savo gyvenimo paskutinio dešimtmečio, kad jo sugauti nebesitikima. Tikriausiai jis atrodė visai kitaip, nepanašus į tą žmogų, su kuriuo buvau susidūręs.

Kiekviena nauja diena buvo žingsnis į priekį, su kiekviena diena mano mintyse likdavo vis mažiau vietos jam ir tiems dalykams, kurie buvo ir pražuvo. Su kiekviena diena tarpai tarp pamąstymų apie jį darėsi po truputį vis ilgesni, o jo veido atvaizdas vis blausesnis, nors jo akys, jų mėlis, atsirasdavo man prieš akis iš įvairiausių daiktų: iš gėlių, iš liepsnos, iš jūros ir iš dangaus.

Su kiekviena diena atgaudavau vis daugiau to, ką jau maniausi praradęs visiškai. Normalią būseną. Naktimis nebesikartojo sapnai, vien tik neaiški nuojauta prabudus trečią valandą, kad aš pamiršęs kažką nepaprastai svarbaus, ko niekaip negaliu atspėti, ko niekaip negaliu prisiminti. Tarsi visiems laikams būtų nuskilęs gabalas mano proto.

* * *

Kas rytą septintą mane pažadindavo užsidaranti pašto dėžutė ir slopus siuntų dunkstelėjimas į kilimėlį.

Vieną rytą, praėjus trims savaitėms po Kalėdų, nulipau laiptais paimti pasklidusio pluoštelio baltų vokų ir rudo banderolės voko su storu juodu flomasteriu užrašyta mano pavarde ir adresu. Pašto antspaudas buvo visai išsiliejusio tamsaus rašalo dėmė, bet pašto ženklas rodė, kad siųsta iš Anglijos.

Nuėjau į svetainę, užžiebiau dujinį židinį ir atsisėdau ant grindų. Nepaliaudamas varčiau rankose rudąjį voką.

Pirštai suvirpėjo, kai supratau, kas viduje. Kietas kampuotas daiktas buvo vaizdajuostė. Mirktelėjo vaizdo magnetofono laikrodis, kviesdamas greičiau plėšti voką ir paleisti juostą. Nė nežinau, ar ilgai taip sėdėjau, nejausdamas nuo židinio jokios malonios šilumos. Mane iš vidaus smelkė ryto žvarba.

Kai aptikau voke angelę ir nuplėšiau apvalkalą, iki lubų pakilo dulkių ir siūlelių debesėlis. Bet kai dulkės pasiekė mano nosį, tai pagalvojau, kad tikrai užuodžiu jo kūno kvapą.

Laikrodis sumirksėjo – 8:03, 8:03, magnetofono gerklė plačiai išsižiojo ir prarijo visą kasetę. Ant jos dėžutės nieko nebuvo – nei žodžio, nei jokio ženklo. Panaršiau ranka po voko vidų, bet nieko ir ten neradau – nei laiškelio, nei nieko. Paleidau juostą, ir ekranas virto judančia didele elektronine sidabriška žuvimi. Ši pasuko uolų vaizdo link. Čia buvo virtinė baltų uolų ir juoda jūra, į jas besiplakanti ir besidaužanti, ir smarkios bangos, ir balti purslai, metami aukštyn laivui rėžiant vandenį. Laivo variklis ritmingai gaudė, žuvėdros ir kirai nardė už ekrano ribų ir vėl atgal. Tas uolas pažinau – stovėjau ir žiūrėjau, kaip jos šmėkščioja horizonte, grįždamas iš Prancūzijos. Ir mačiau tada jas daugmaž iš to paties taško, iš kur buvo filmuota. Tą aš labai tvirtai ir detaliai įsiminiau, todėl vaizdajuostė sukosi tarsi mano atminties įrašas. Čia buvo Duvras, Lamanšo sąsiauris, keltas, grįžtantis į Angliją.

„Danieliau, ar viskas gerai? – jo balsas nučiuožė uolų panorama ir prasisunkė pro televizoriaus garsiakalbį kaip nervus paralyžiuojančios dujos. – Atpažįsti vietovę, Danieliau? Turėtum pažinti! Aš stoviu ten pat, kur tu stovėjai užpraeitą vasarą. Aš tave jaučiu. Jaučiu, kad tu šičia buvai."

Keltui artinantis prie Anglijos krantų, uolos vis didėjo.

Ričardas Paikas žengė priešais kamerą, jo veidas išniro baltų uolų fone, ir jis man nusišypsojo.

„Danieliau, nesimatėm jau labai seniai. Aš buvau išvykęs, bet dabar jau grįžtu. Tik jau nemanyk, kad tave pamiršau ir palikau. Tikrai ne. Tiesą sakant, ir neįstengiau. Tu ir aš, mudu abu, amžinai."

Laikiau banderolės voką prie burnos ir visa esybe priešinausi. Staiga sukaustė baisi kančia, tarsi būčiau apsėstas ligos, nevilties, karščio. Skruostais riedėjo ašaros. Bangos dužo į kelto šonus ir girdėjau į galvą plūstant kraują.

„Manei, kad tave paliksiu, Danieliau? Kad tave pamiršiu?"

Jo balse nebuvo jokios pašaipos. Jis nė kiek nesityčiojo. Pasakė nuoširdžiai, draugiškai, švelniai.

Jo burna atsivėrė ir vėl užsivėrė, jo ištarti žodžiai atskriejo į mane tarsi glaistyta cukrumi skustuvo geležtė.

„Jei būsim dviese, tai susitvarkysim su viskuo. Atleisk dėl... dėl to, kaip viskas susiklostė kovo mėnesį. Aš tikras, kad tu supranti. Atvažiuosiu pas tave, ir sugrįš anos puikios dienelės. Tu ir aš, mudu abu, Danieliau."

Ant filmavimo kameros objektyvo pradėjo lyti. Jis uždainavo: „Suves keliai... Kažin kur... Kažin kaip... Bet žinau, suves ir vėl pilki keliai!.."

Išvydau uostą, laivus ir ateitį.

Vaizdas ekrane paniro į tamsą.

„Danieliau, myliu tave ir grįžtu. Kad ir kur tu būsi, kad ir kur keliausi, aš su tavimi... amžinai!"

Atsukau juostą ir pasižiūrėjau dar kartą, vis stabdydamas, sustingdydamas jo veido bruožus, žiūrėdamas į tamsą, kur prasiveria jo burna pasveikinti manęs, tyrinėdamas kiekvieną jo veido plotelį – to veido, kuris daug mėnesių slapstėsi tamsiosiose mano smegenų kertelėse. Iš jo akių tamsybės išsiveržė šviesos taškelis, spingsulė, nutvieskianti nepaprastą jų žydrynę – tą, kurią matydavau, kai tik pažvelgdavau į jį nuo pat mūsų susitikimo, tą žydrynę, kuri danguje ir jūroje, tą, kuri būna ugnyje ir gėlėse.

Atsukau juostą ir žiūrėjau sulėtintai, vos ne prisišliejęs veidu prie ekrano, ir mano akys klimpo lėtai judančiose ir ritmiškai mirksinčiose jo akyse.

– Gerai! – tariau vos ne pašnabždomis.

Atsistojau neįstengdamas atplėšti akių nuo jo žvilgsnio ekrane. „Ką jis pasakė?" Sustabdžiau juostą, atsukau atgal, paleidau normaliu greičiu ir dar kartą įsiklausiau.

„Atvažiuosiu pas tave, ir sugrįš anos puikios dienelės. Tu ir aš, mudu abu, Danieliau!"

– Gerai! – atsakiau tvirčiau ir garsiau, jam užtraukus: „Suves keliai...“ Trinktelėjau per stabdymo mygtuką, ir jis aptemęs dingo iš kambario.

Tuoj atitraukiau užuolaidas ir atlapojau visus kambario langus. Šaltas gaivus oras plūstelėjo į namus, o šiltas ir troškus, su visu jo balso aidu, išslinko iš namų laukan.

Neišgirdau, kaip ji atvažiavo, ir nežinau, ar seniai ji jau čia buvo, bet mama stovėjo tarpduryje, didžiulio nerimo išvagotu veidu.

– Danai, tau viskas gerai?

– Bus gerai, – atsakiau prieidamas ir pabučiavau. – Bus gerai.

Nuėjau paskui ją prie lauko durų.

– Kur išeini? – paklausė.

Jis žinojo, kur mane rasti. Dėl šito nebuvo abejonės.

Išėjau į lauką. Užslinko pirmas tą dieną lietaus debesėlis. Ėjau vartų link, paskui vėjelio nešamą laikraščio skiautę. Užkabinau vartus abiem rankomis, pasižiūrėdamas į vieną mūsų gatvės galą ir į kitą, kuo tvirčiausiai įsispyręs į žemę.

– Danai! – pašaukė mama nuo lauko durų. – Danai, eik vidun.

– Mama, tu pati eik vidun, – atsiliepiau.

– Danai, ką ten veiki, sūnau?

– Laukiu.

Mano rankos išbalo, kai dar labiau sugniaužiau vartus.

– Lauki? Ko lauki?

Nenuleidau akių nuo gatvės, kuri vedė į mūsų namus, nuo gatvės, kuri vedė pas mane.

– Danai! – Mamos balsas sklido lyg slopstantis aidas iš kadaise regėto sapno. – Ko gi tu lauki?

Neatsakiau. Po minutės tylos, kuri, regis, truko valandą, išgirdau ją įeinant vidun ir uždarant lauko duris.

Dabar aš buvau pasirengęs jį sutikti.

– Laukiu svečio.

Serijoje *„Beveik suaugę"* išleista:

Stephen Chbosky
ATSKALŪNO LAIŠKAI

Kevin Brooks
MARTYNAS PIGAS

Melvin Burgess
DARANT TAI

Anne-Sophie Brasme
AŠ KVĖPUOJU

Jerry Spinelli
ŽVAIGŽDĖ

Melvin Burgess
LEDI.
KALĖS GYVENIMAS

Heather Henson
PABĖGIMAS

Roberts, Mark

Ro–04 Rytojus priklauso man: [romanas]/Mark Roberts; iš anglų kalbos vertė Vilmantas Vilkončius. – Vilnius: Alma littera, 2005. – 256 p. – (Beveik suaugę)

ISBN 9955-08-829-X

Penkiolikmetis Danas, dėl nesutarimų su motina pabėgęs iš namų ir įsėdęs į autobusą, jau po keturių valandų patenka į beviltišką padėtį: autostrados degalinėje iš jo pavagiamas krepšys su visu turtu. Jam į pagalbą ateina aštuoniolikmetis Lukas Frijersas, turintis džipą ir filmavimo kamerą. Vaikinai leidžiasi į nuotykingą kelionę po Angliją: paskui keliautojus, į sabotuojamą lapių medžioklę, į nelegalią diskoteką. Tačiau jiems įkandin driekiasi paslaptingas mirtis pėdsakas. Ar Danas sužinos tiesą apie Luką, kol dar nevėlu?

UDK 820-93

Serija „Beveik suaugę“

Mark Roberts

Rytojus priklauso man

Redaktorė *Diana Bučiūtė*
Meninis redaktorius *Agnius Tarabilda*
Maketavo *Ligita Plešanova*

Tiražas 2500 egz.
Išleido leidykla „Alma littera“, A. Juozapavičiaus g. 6/2, 09310 Vilnius
Interneto svetainė: http://www.almalittera.lt
Spaudė AB spaustuvė „Spindulys“, Gedimino g. 10, 44318 Kaunas
Interneto svetainė: http://www.spindulys.lt